JN246812

なぜなにはかせの

理科クイズ

1 植物のしくみ

もくじ

なぜなにはかせの自己紹介（じこしょうかい） …… 4

問題 1 アサガオのこれは、何？ …… 5

2 ヒマワリは太陽（たいよう）の方を向（む）く？ …… 7

3 イチゴの実（み）は、どれ？ …… 9

4 アサガオは、いつ咲（さ）く？ …… 11

5 トウモロコシのひげって、何？ …… 13

6 ドングリは種（たね）？それとも実？ …… 15

7 アサガオのつるの秘密（ひみつ）は、どれ？ …… 17

8 虫から守（まも）ってくれる植物（しょくぶつ）は、どれ？ …… 19

9 ヒマワリのどこがよく伸（の）びる？ …… 21

10 イネが発芽（はつが）しないのは、どれ？ …… 23

11 タマネギは、どの部分（ぶぶん）にできる？ …… 25

12 カボチャの実がなるのは、どれ？ …… 27

13 アブラナの花のつき方は？ …… 29

14 綿毛（わたげ）を飛（と）ばさないのは、どれ？ …… 31

15 モヤシに光を当てて育（そだ）てると…？ …… 33

16 ジャガイモを育てるには…？ …… 35

17 ツクシとスギナの関係（かんけい）は？ …… 37

18 アブラナの実は、どこにできる？ …… 39

19 花びらじゃないのは、どれ？ …… 41

20 インゲンマメがよく育つのは、どれ？ …… 43

21 冬になるとサクラの木は、どうなる？ …… 45

ナズナのハートの部分は、何？ …………………… 47
22 アサガオの育ち方は、どれ？ …………………… 48
23 お米作りの正しい順番は？ …………………… 52
捨てないで、まいてみよう！ …………………… 56
24 ヒマワリの葉のつき方は、どれ？ …………………… 57
25 タンポポの花のつき方は、どれ？ …………………… 59
26 ホウセンカにふくろをかぶせると…？ …………………… 61
27 ラッカセイの実は、どんなふうにできる？ ………… 63
28 カボチャの花にふくろをかぶせると…？ ………… 65
29 アサガオに支柱を立てないと、どうなる？ ………… 67
30 つる植物じゃないのは、どれ？ …………………… 69
31 タンポポに箱をかぶせると…？ …………………… 71
32 ドングリの小さなあなは、何？ …………………… 73
33 チューリップに種はある？ない？ …………………… 75
34 発芽したインゲンマメは、どれ？ …………………… 77
35 タンポポの綿ぼうしに水をかけると…？ ………… 79
36 アサガオの種を半分にしてまくと、どうなる？ …… 81
37 ヤシの実の中身は、何？ …………………… 83
イチゴは果物？野菜？ …………………… 85
38 タンポポの芽が出るのは、どれ？ …………………… 86
39 薬を使わない雑草対策は、いくつある？ ………… 90
さくいん …………………………………… 94

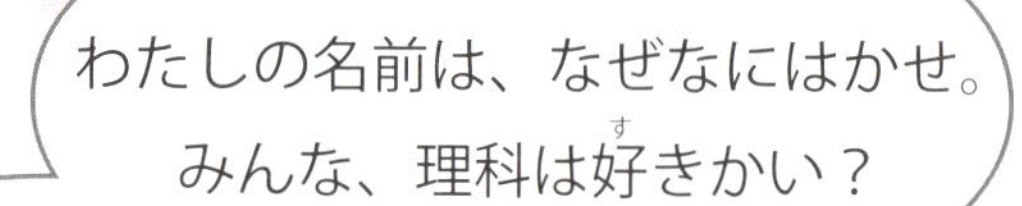
わたしの名前は、なぜなにはかせ。
みんな、理科は好(す)きかい？

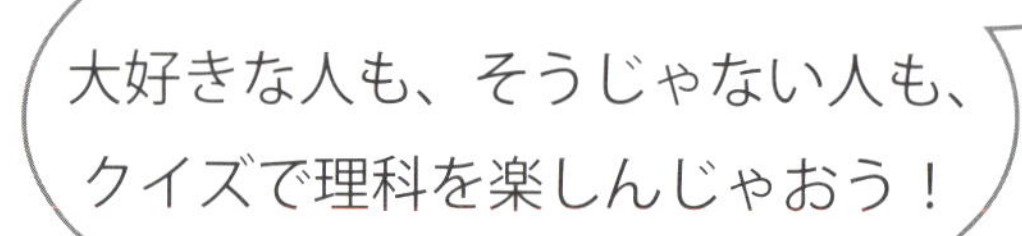
大好きな人も、そうじゃない人も、
クイズで理科を楽しんじゃおう！

この本では、
みぢかな植物(しょくぶつ)のクイズを出すよ。
さて、何問正解(なんもんせいかい)できるかな～？
アキト
ナツミ
なぜなにはかせ
フユキ
ハルカ

問題1 アサガオのこれは、何？

アサガオのくきの先に、緑色（みどり）の丸いものができてたよ。これは何かな？

ア つぼみだよ。これから花が、咲（さ）くんだよ。

イ 実（み）だと思うよ。中で種（たね）が育（そだ）っていくよ。

ウ 葉（は）の仲間（なかま）だよ。中に小さい葉が、つまっているんだ。

ページをめくって
答えを見てみよう！

アサガオの花が終(お)わると、花の下の部分(ぶぶん)が丸くふくらむ。そこがアサガオの実(み)になるんだ。茶色くかれるころ、実が割(わ)れて中から種(たね)が出てくるよ。

問題2 ヒマワリは太陽の方を向く？

花が太陽の動きに合わせて向きを変えることから、この名前がついたといわれるヒマワリ。本当に花は太陽の方を向いて動くのかな？

ア 動くと思う。首をふるみたいに太陽の方を向くよ。

イ 動かないと思う。花は同じ方向を向いたままだよ。

答え 2
正解は イ
ヒマワリの花は、１つの方向を向いたまま動かないよ。太陽の方を向いて動くのはつぼみのうちだけなんだ。
つぼみが動かなくなると、いよいよ開花だ。

問題3 イチゴの実は、どれ？

あま酸っぱくておいしいイチゴ。
大好きな人も多いと思う。
さて、イチゴの「実」といったら
どの部分をさすのかな？

ア　あまくて
赤い部分だけが
実だと思うな。

イ　小さなつぶ
1つ1つが実だよ。

ウ　赤い部分と
つぶつぶ
全部で実だよ。

答え3　正解は イ

赤くてあまい部分の表面にある小さなつぶ。それがイチゴの実なんだ。この実を割ると、中に種が入ってるよ。

下の図はイチゴの花を縦に切ったところだ。真ん中のめしべが集まっているふくらみを「花たく」という。わたしたちがふだん食べているのは、この花たくが大きくなったものなんだ。

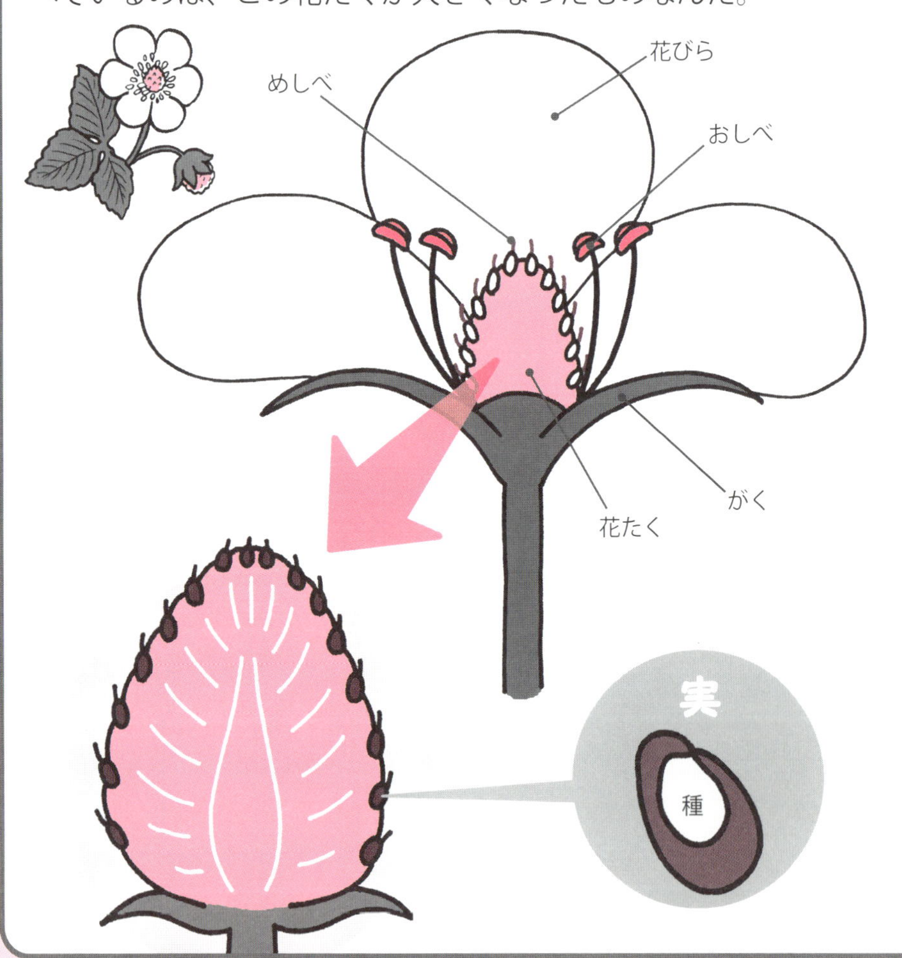

問題4 アサガオは、いつ咲く？

アサガオの花が咲くところを
観察しようと思う。
さて、何時ごろ起きれば
いいかな？

答え 4　正解は ア

午前3時ごろ、まだ空に星が残(のこ)っているうちに、ゆっくりつぼみがほどけ始(はじ)めるんだ。日ざしが強くなる9時ごろには、しぼんできちゃうよ。

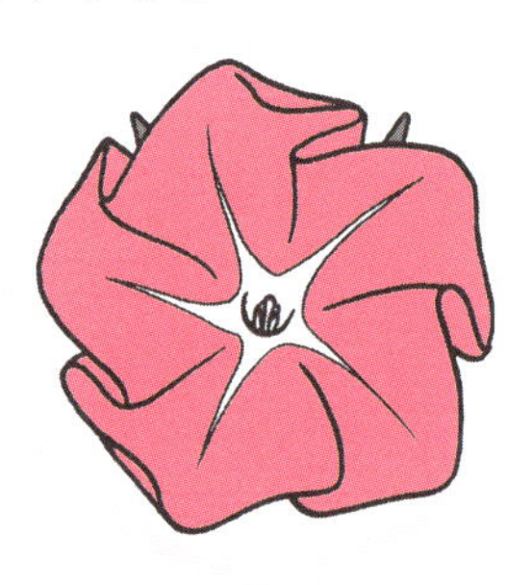

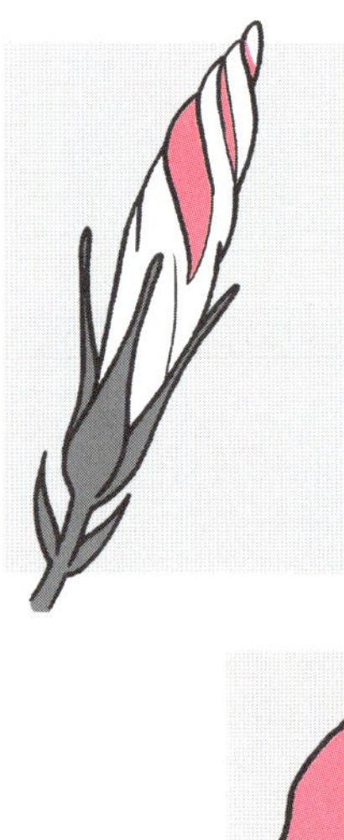

問題5 トウモロコシのひげって、何？

夏においしいトウモロコシ。その先っぽには、モジャモジャのひげがついてるね。これは何だろう？

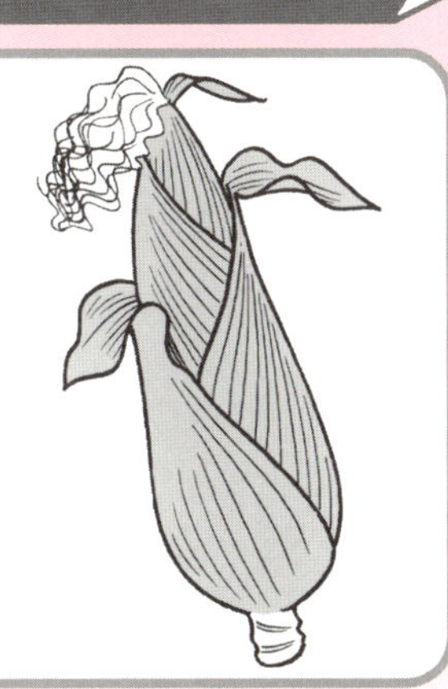

ア めしべだと思うよ。

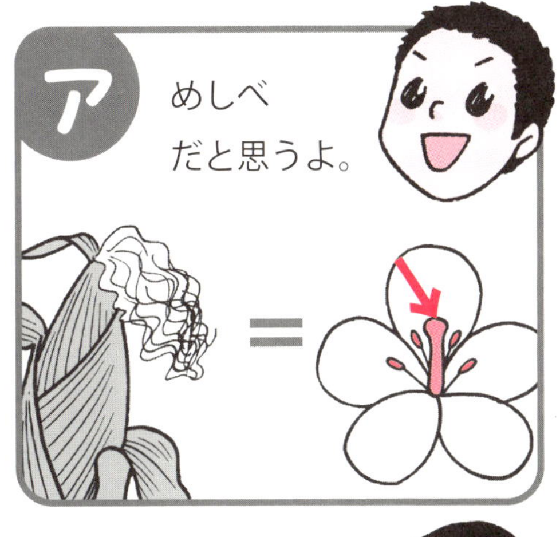

イ 花びらだよきっと。

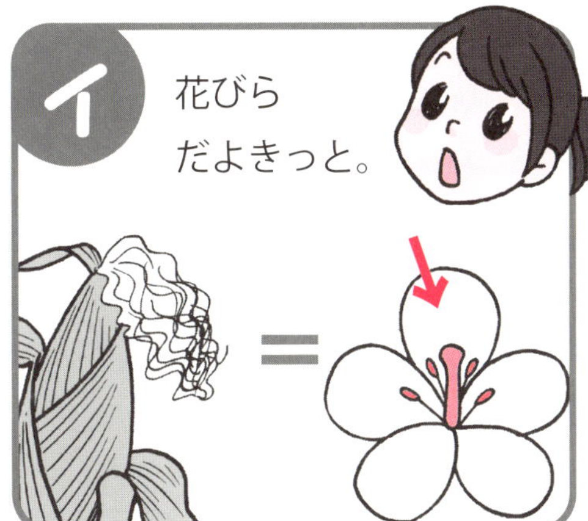

ウ 葉（は）じゃないかな。

エ 根（ね）なんだよ。

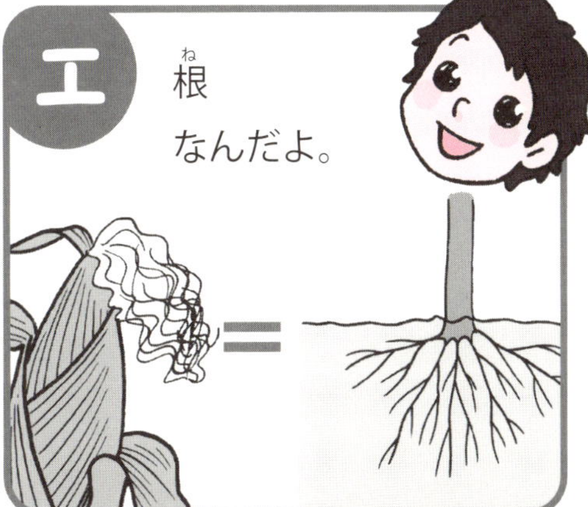

答え5　正解はア

ひげはトウモロコシのめしべなんだ。実になる部分1個に1本ついているよ。つまり、あのおいしいつぶと同じ数だけ、ひげがあるんだね。

くきの先にあるおばなの花粉が、下の方にあるめばなのめしべに受粉して、実が大きくなるんだ。

問題 6 ドングリは種？それとも実？

秋になると、クヌギやコナラの木の下に、いっぱいドングリが落ちてるね。
ドングリは「実」かな？
それとも「種」かな？

ア 種だと思うよ。

イ 実だと思うよ。

答え6　正解はイ

ドングリは、カシやクヌギ、コナラの花が咲いた後にできる「実」なんだ。カキの実と比べてみよう。

カキは果皮の中に、あまくておいしい果肉、その中に種が数個入っている。それに対してドングリは、かたい果皮の中に果肉はなく、種が１個だけ入っているんだ。見た目は違うけど、どちらも実なんだね。

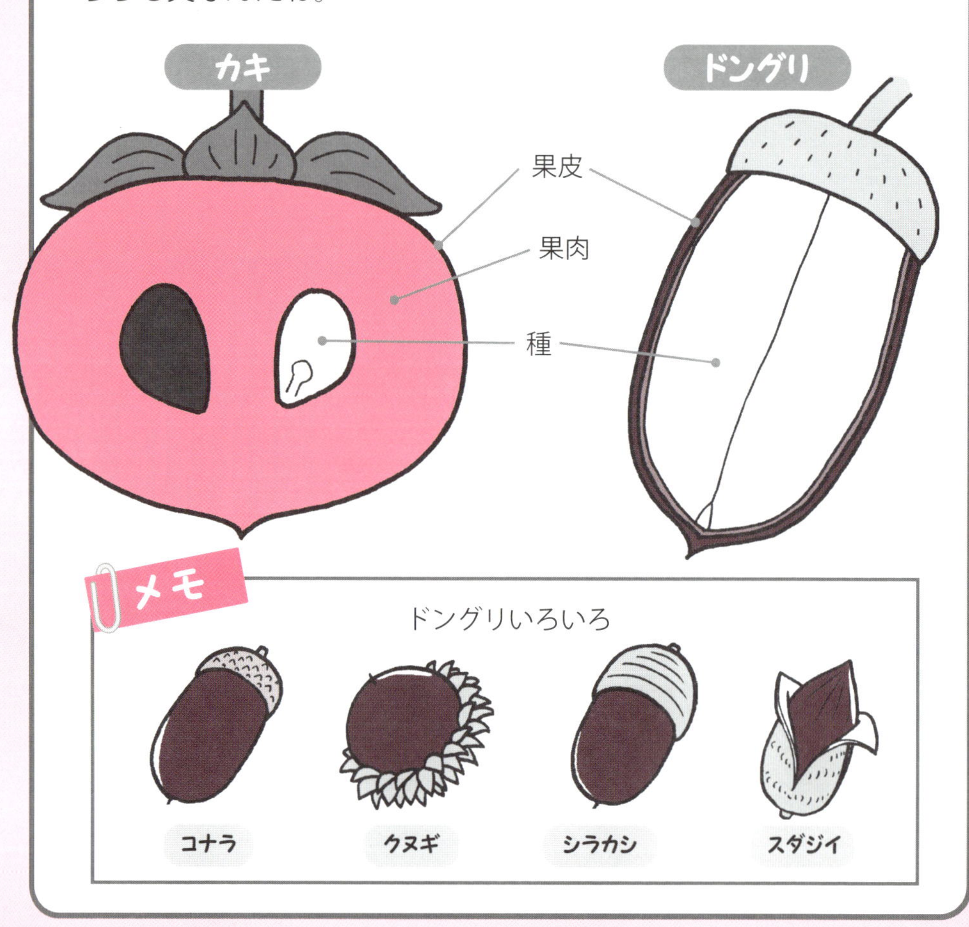

問題 7 アサガオのつるの秘密(ひみつ)は、どれ?

アサガオのつるは、
すべすべした棒(ぼう)でも
ずり落(お)ちないで
巻(ま)きついているよね。
どんな秘密があるのだろう?

ア
べたべたしてて
棒にくっつくん
だよ。

イ
小さな吸盤(きゅうばん)が
ついてるんじゃ
ないかな。

ウ
つるに生えてる毛が
ひっかかってるんだ
と思うな。

エ
ぎゅーってきつく
巻きついてる
のかも。

アサガオのつるをよく見ると、下向きに毛が生えているのがわかるね。この毛がすべり止めの役割をして、ずり落ちずに支柱に巻きついていられるんだ。

メモ

アサガオのつるを、真上から見てみよう。時計と反対まわりに巻きついているのがわかるぞ。

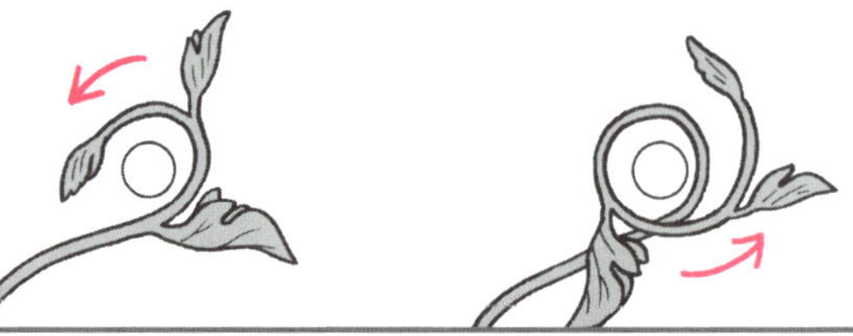

問題 8 虫から守ってくれる植物は、どれ？

花だんや畑に植えておくと、ほかの植物を虫から守ってくれる植物があるよ。次のうちどれかな？

答え 8　正解は マリーゴールド

マリーゴールドは葉の裏にある「油点」という部分から、虫のきらうにおいを出すんだ。だから、マリーゴールドをほかの植物の近くに植えておくと、虫が寄ってこないよ。

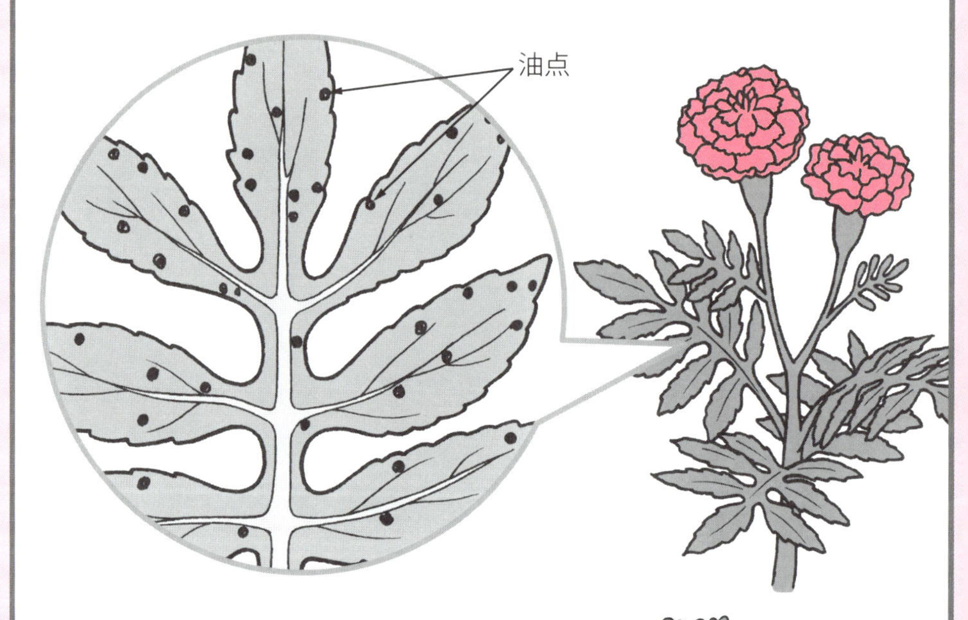

また、根には線虫という寄生虫を殺す成分もふくまれている。ダイコン、ニンジン、ナスを育てるときに、マリーゴールドを畑のあいたところに植えておくと、薬を使わずに線虫を退治できるんだ。

問題9 ヒマワリのどこがよく伸びる？

夏に向けてぐんぐん伸びるヒマワリ。2～3mになることもあるよ。大きくなるとき、一番よく伸びるのはどの部分かな？

ア 下の方

イ 中ほど

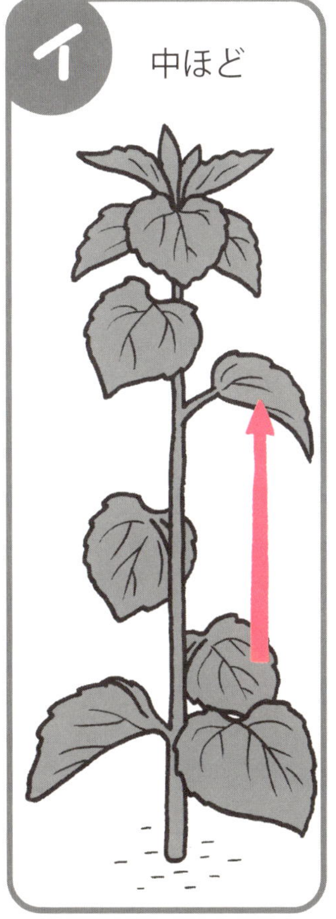

ウ 上の方

答え 9　正解は ウ

ヒマワリが成長(せいちょう)するとき、よく伸(の)びるのは上の方なんだ。

ヒマワリのくきに、同じ間かくで印(しるし)をつけておこう。毎日その間かくを定規(じょうぎ)で測(はか)って比(くら)べてみると、どこが一番よく伸びているかがわかるぞ。

問題10 イネが発芽しないのは、どれ？

わたしたちが毎日食べているお米は、イネという植物の実だね。
種もみ、げん米、白米をそれぞれしめらせた土の上においてみた。発芽しないのは、どれかな？

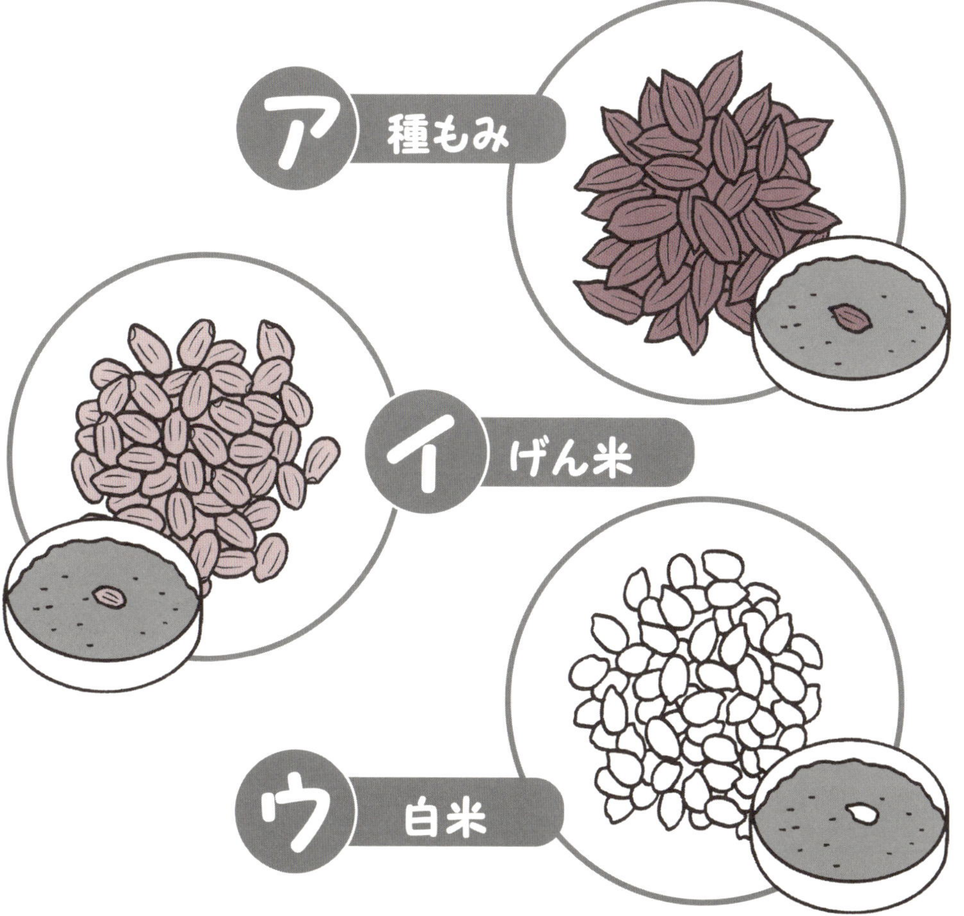

答え 10　正解は ウ

秋に実るイネの穂から収かくされたものを種もみ。種もみの外側のからを取ったものをげん米、げん米から「ぬか」を取ったものが白米だね。げん米から「ぬか」を取るときに発芽に必要な「はい乳」という部分も取ってしまうので、白米から芽は出ないんだ。

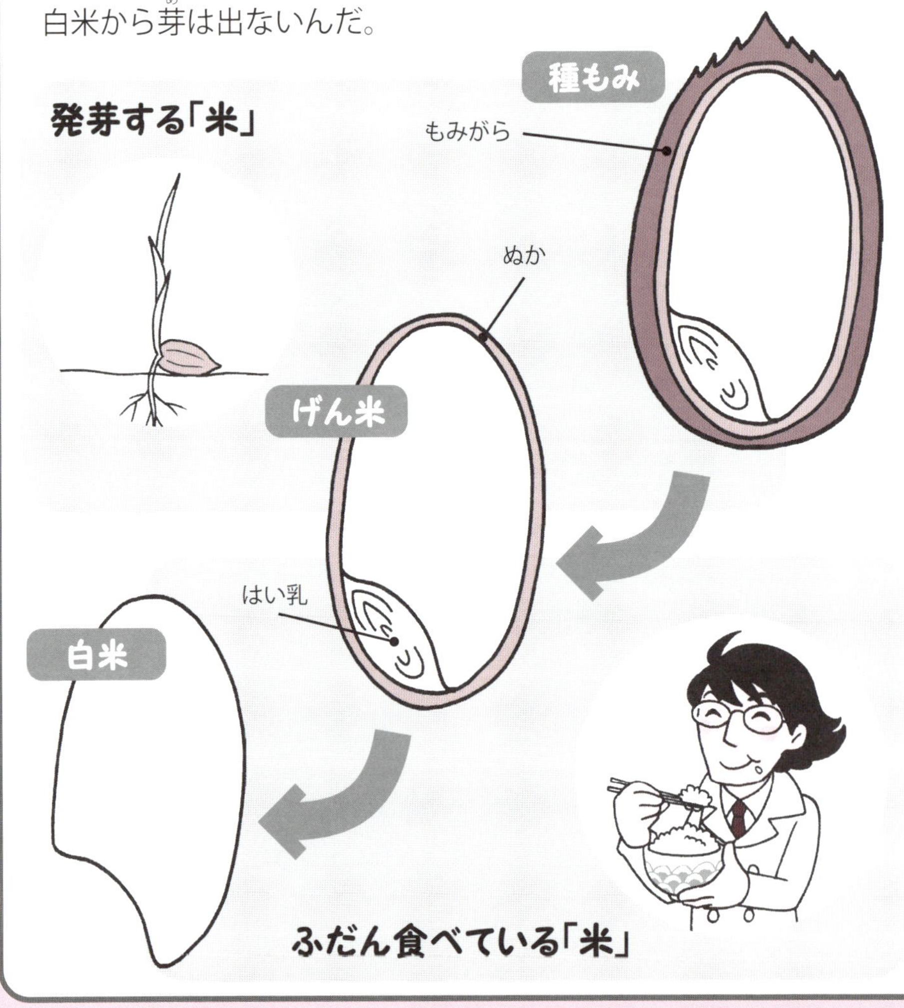

問題 11　タマネギは、どの部分にできる？

毎日の食卓に欠かせないタマネギ。みんなは好ききらいなく食べているかな？
さて、このタマネギ、どんなふうにできるんだろう。

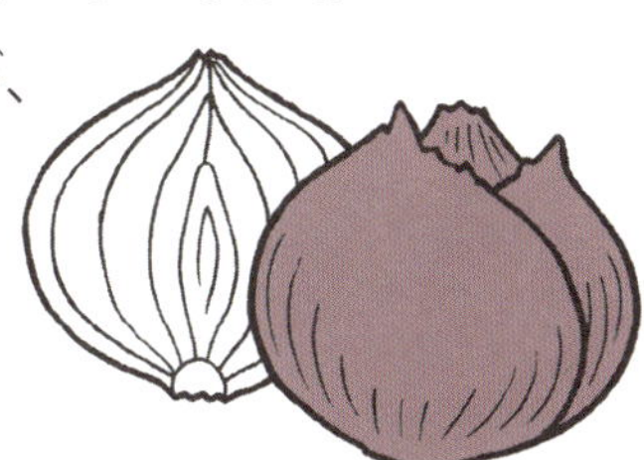

ア　くきの上に、できると思うな。

イ　くきの中ほどにできるんだよ。

ウ　根の先にできるんじゃないかな。

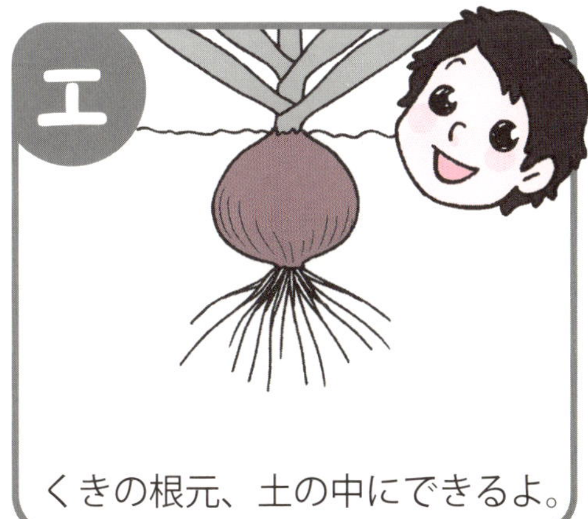

エ　くきの根元、土の中にできるよ。

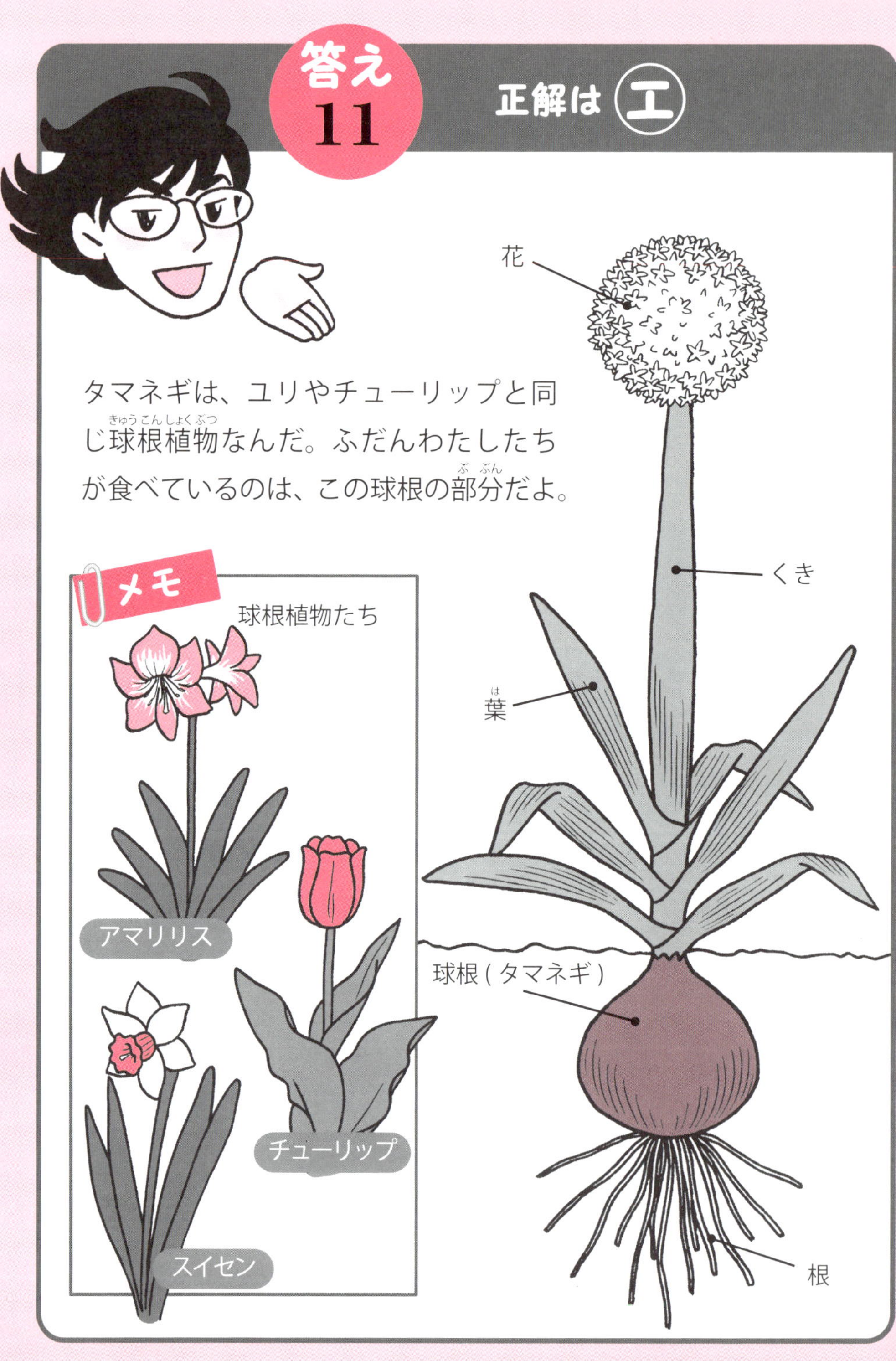
答え
11
正解は エ
タマネギは、ユリやチューリップと同じ球根植物なんだ。ふだんわたしたちが食べているのは、この球根の部分だよ。
メモ
球根植物たち
アマリリス
チューリップ
スイセン
花
くき
葉
球根(タマネギ)
根

問題12 カボチャの実がなるのは、どれ？

カボチャの花をよく
見ると、２種類ある
のがわかる。
おばなとめばなだ。
さて、実がなるのは
どっちの花かな？

めばなに実がなるん
じゃないかな。

おばなに実がなる
と思うよ。

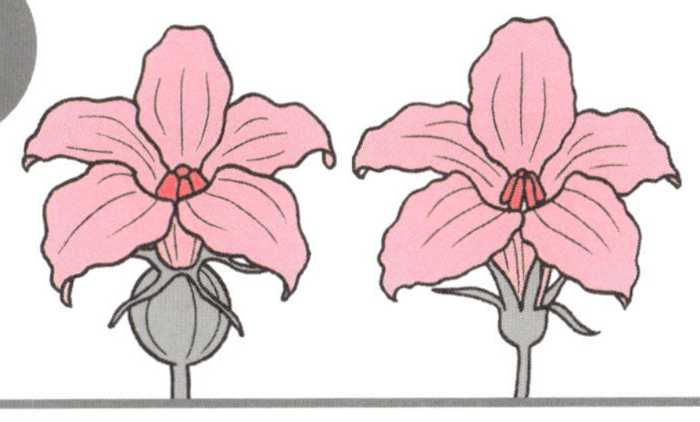

どちらの花にも
実がなるよ。

答え 12　正解は ア

実がなるのは、めばなの方だよ。
めばなの下の方をよく見てみよう。小さなカボチャがもう準備されているよ。

おばなにはおしべだけ、めばなにはめしべだけがある。めしべがあるめばなだけに実が出来るんだ。１つの花の中に、おしべもめしべもあるアサガオの花と比べてみよう。

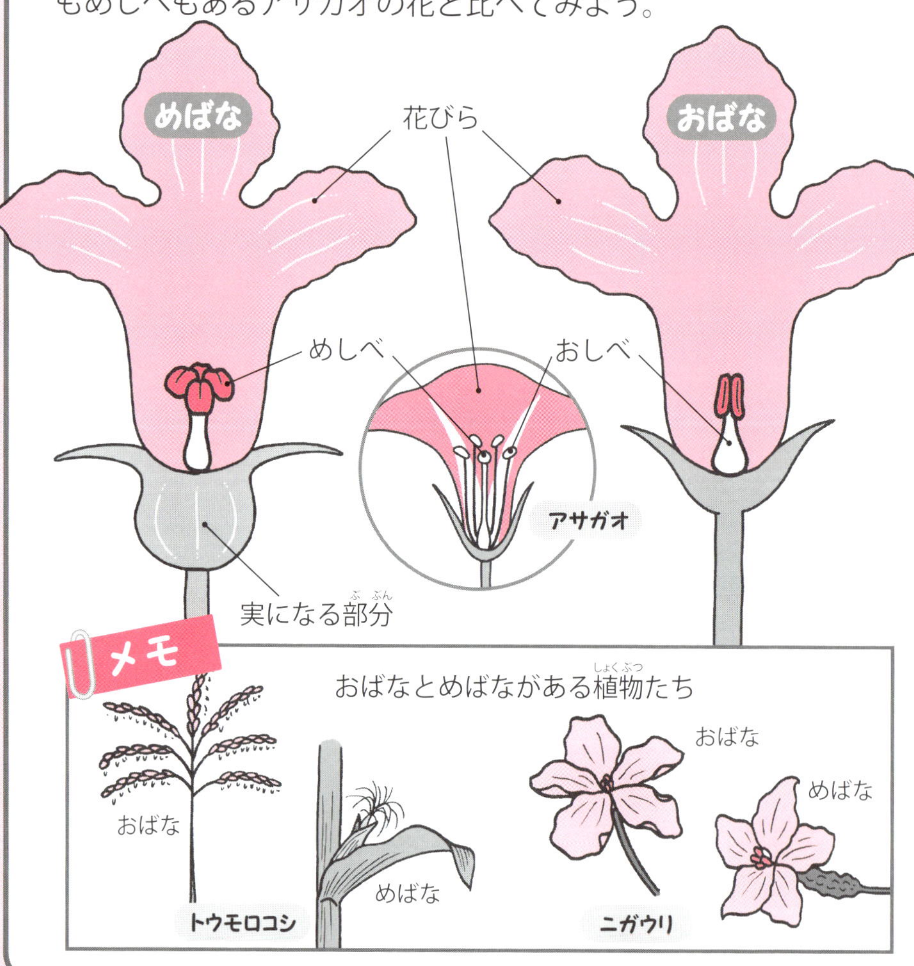

問題13 アブラナの花のつき方は？

下の図はアブラナを表（あらわ）しているよ。
つぼみ、花、実（み）のつき方で正しいのはどれかな？

つぼみ

花

実

ア 上から つぼみ、花、実。

イ 上から 実、花、つぼみ。

ウ つぼみ、花、実、ばらばら。

答え 13 正解は ア

アブラナは上の方につぼみ、そして花があり、下の方に実(み)がなっているよ。下の方から先に花が咲(さ)き、実になっていくのがわかるね。このさき方は、同じアブラナ科のキャベツ、ダイコン、ハクサイ、カブなどに共通(きょうつう)しているよ。

下から順番(じゅんばん)に花が咲(さ)き、実になっていく。
ボクらの花は
みんなよく
似(に)ているよ！

問題14 綿毛を飛ばさないのは、どれ？

種に綿毛がついている植物があるね。
風を利用して、種を遠くへ飛ばすんだ。
そんな植物を集めたよ。
あれ？ 1つだけ違うのが混ざっている
みたいだぞ。どれかわかるかな？

答え 14　正解は ヒマワリ

ヒマワリも、タンポポやノアザミと同じキク科の植物だけど、綿毛は飛ばさないんだ。種を見るとよくわかるね。

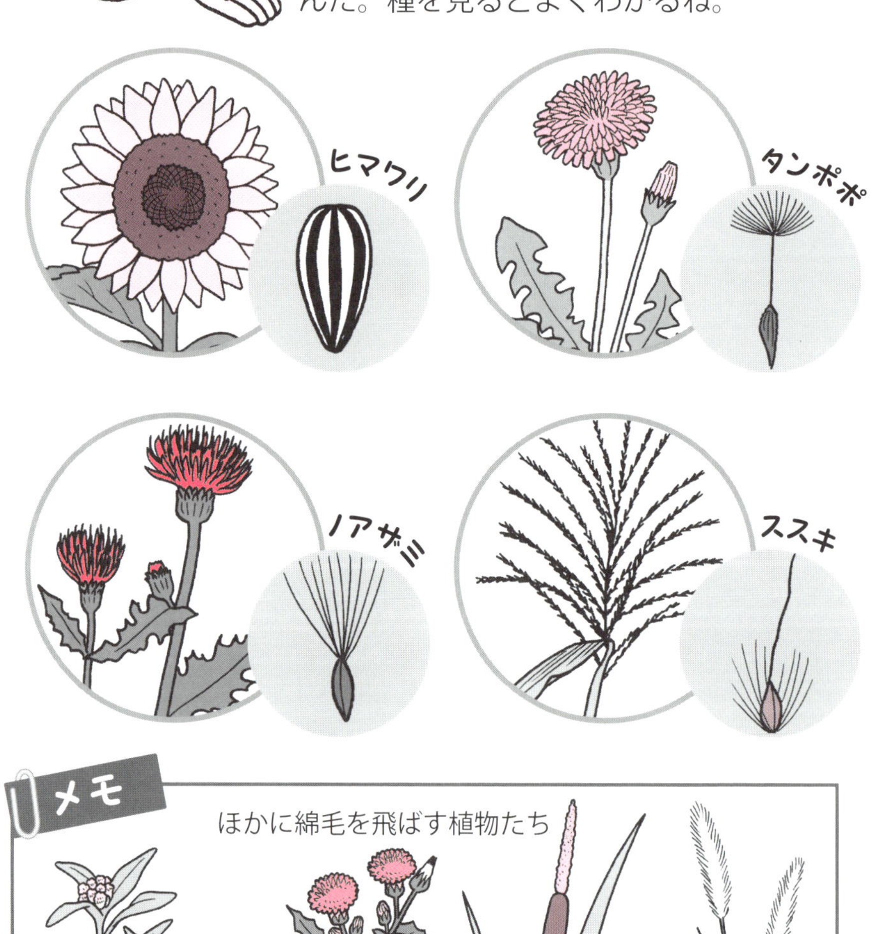

メモ

ほかに綿毛を飛ばす植物たち

ハハコグサ　ノゲシ　ガマ　チガヤ

問題15 モヤシに光を当てて育てると…？

モヤシはダイズやリョクトウの種に、光を当てずに発芽させたものだよ。では、光を当てて発芽させたら、どうなるかな？

ア そのまま伸びて、大きなモヤシになるよ。

イ かれちゃうんじゃないかな。

ウ 白い葉が出て育つと思う。

エ 緑色の葉が出て育つはずだよ。

答え15　正解は㊁

モヤシの元となる種に光を当てて発芽させると、緑色の葉が生えてくるんだ。そのまま育てれば、くきや葉が大きく成長するよ。

モヤシというのは決まった植物の名前ではなく、いろいろな植物の種に光を当てないで発芽させたもの全ぱんをいうんだ。

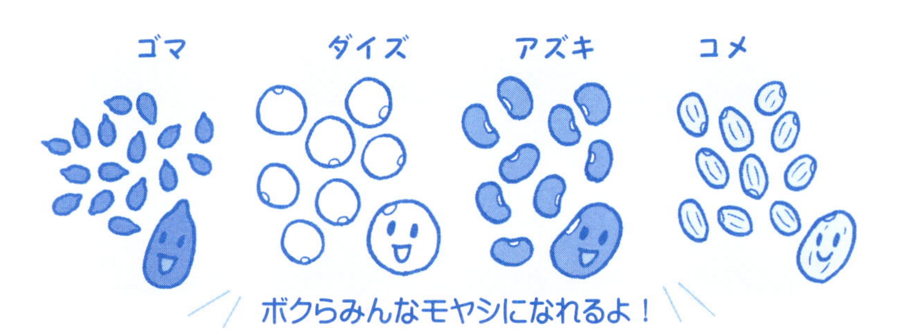

メモ

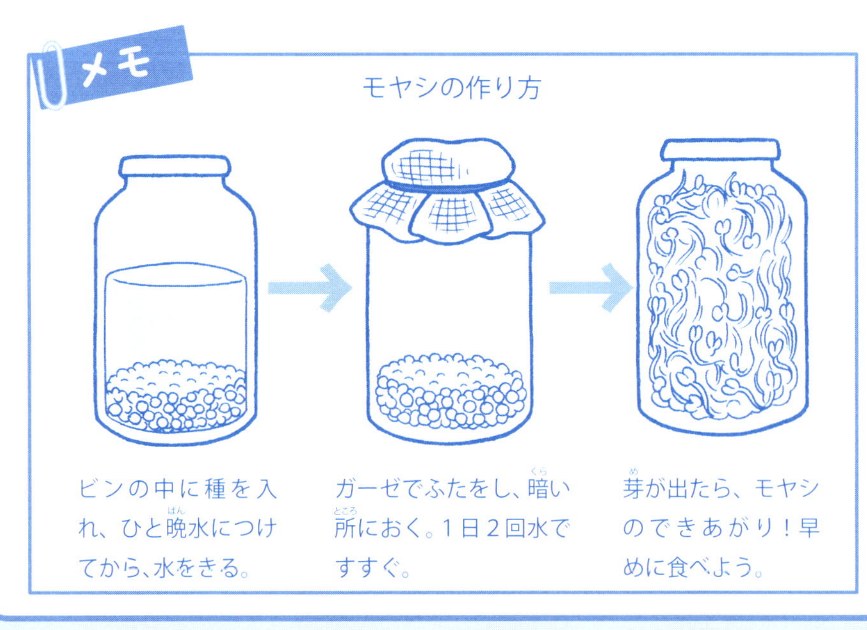

ビンの中に種を入れ、ひと晩水につけてから、水をきる。

ガーゼでふたをし、暗い所におく。1日2回水ですすぐ。

芽が出たら、モヤシのできあがり！早めに食べよう。

問題16 ジャガイモを育てるには…？

自分で育てたジャガイモを使って、カレーを作ってみようと思う。
さて下の４つのうち、ジャガイモを育てる一番いい方法は、どれかな？

ア 種をまいて育てるよ。

イ 伸びてきた芽だけを切り取って植えるよ。

ウ ジャガイモを４つに切って植えるよ。

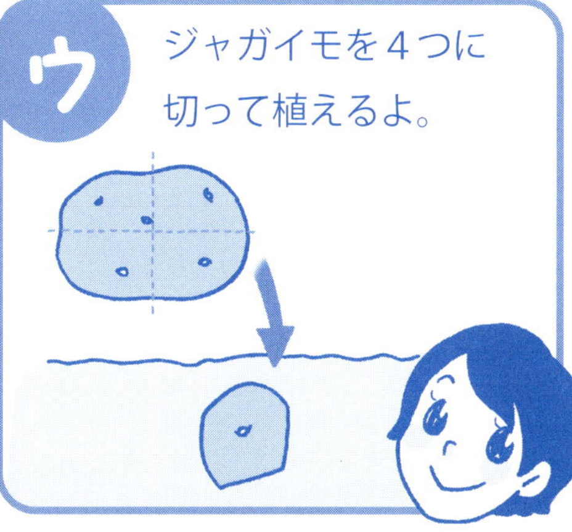

エ 伸びる前の芽をくりぬいて植えるよ。

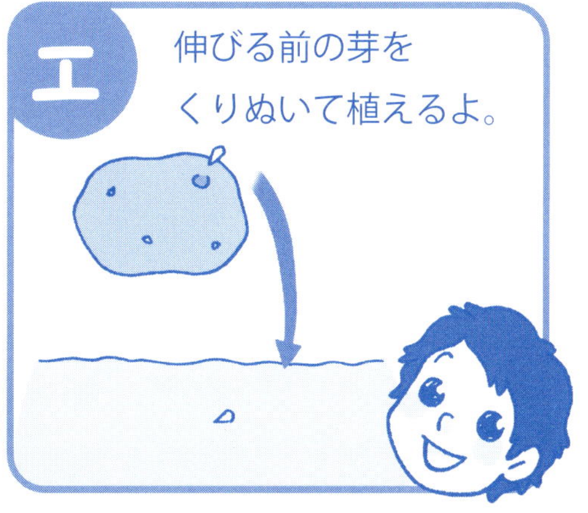

答え16 正解はウ

カレーに入れるくらい大きなジャガイモを作るなら、ジャガイモを植(う)えて発芽(はつが)させるのが一番だ。種(たね)からも育(そだ)てられるけれど、最初(さいしょ)の年は小さなジャガイモしかできないんだ。

ジャガイモを植えるときは、園芸店(えんげいてん)で種イモを買ってこよう。食べるために売っているジャガイモは、芽(め)が出にくい場合があるんだ。
3月ごろ植えれば、6月ごろには収(しゅう)かくできるぞ。

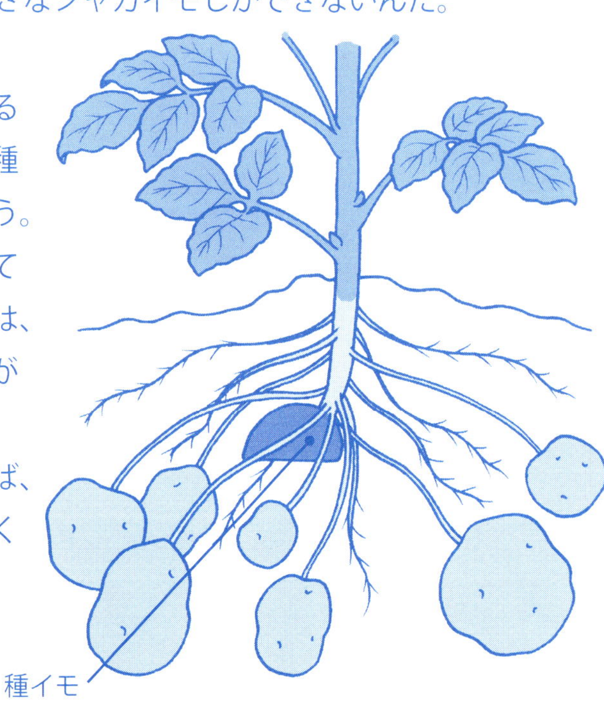

メモ

ジャガイモは、ナスやトマトと同じナス科の植物(しょくぶつ)だよ。花はナスに、実(み)はトマトによく似(に)ているんだ。

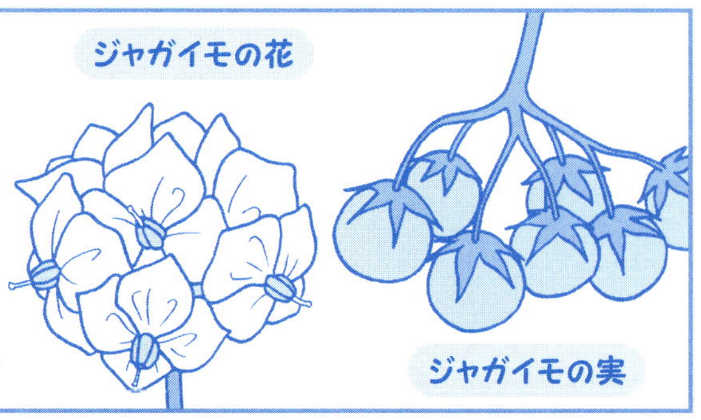

問題17 ツクシとスギナの関係は？

春になると野原にツクシが生えてくるね。ツクシが生える所には必ずスギナもはえてくるよ。ツクシとスギナ、どういう関係なのかな？

ア ツクシとスギナはつながっている。

イ ツクシを栄養にしてスギナが生える。

ウ ツクシが成長するとスギナになる。

エ どちらも同じ土地を好む。

答え 17 正解は ア

ツクシとスギナは地中のくきでつながっている、１つの植物だよ。スギナという植物の、花のような役割をする部分をツクシと呼んでいるんだ。ツクシの先から「ほう子」という小さなつぶを飛ばして増えていく。花と似た働きをするけれど、花とはちょっと違うんだ。

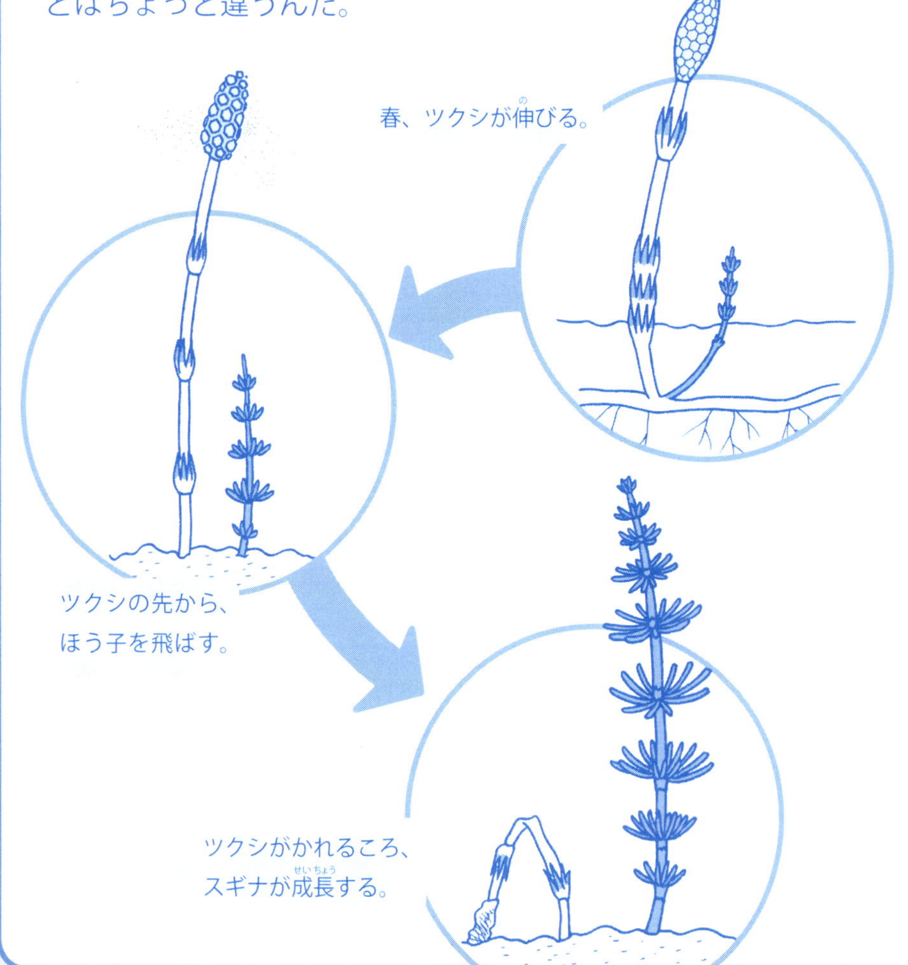

春、ツクシが伸びる。
ツクシの先から、
ほう子を飛ばす。
ツクシがかれるころ、
スギナが成長する。

問題18 アブラナの実は、どこにできる？

多くの植物と同じように、アブラナも花が咲いた後に実ができるよね。
どの部分が実になるか、わかるかな？

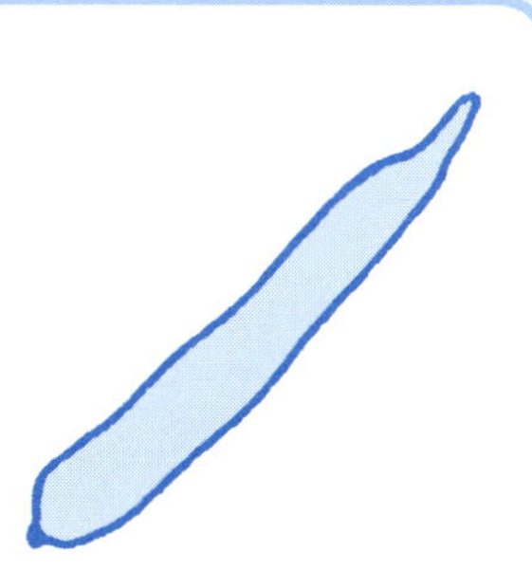
アブラナの実

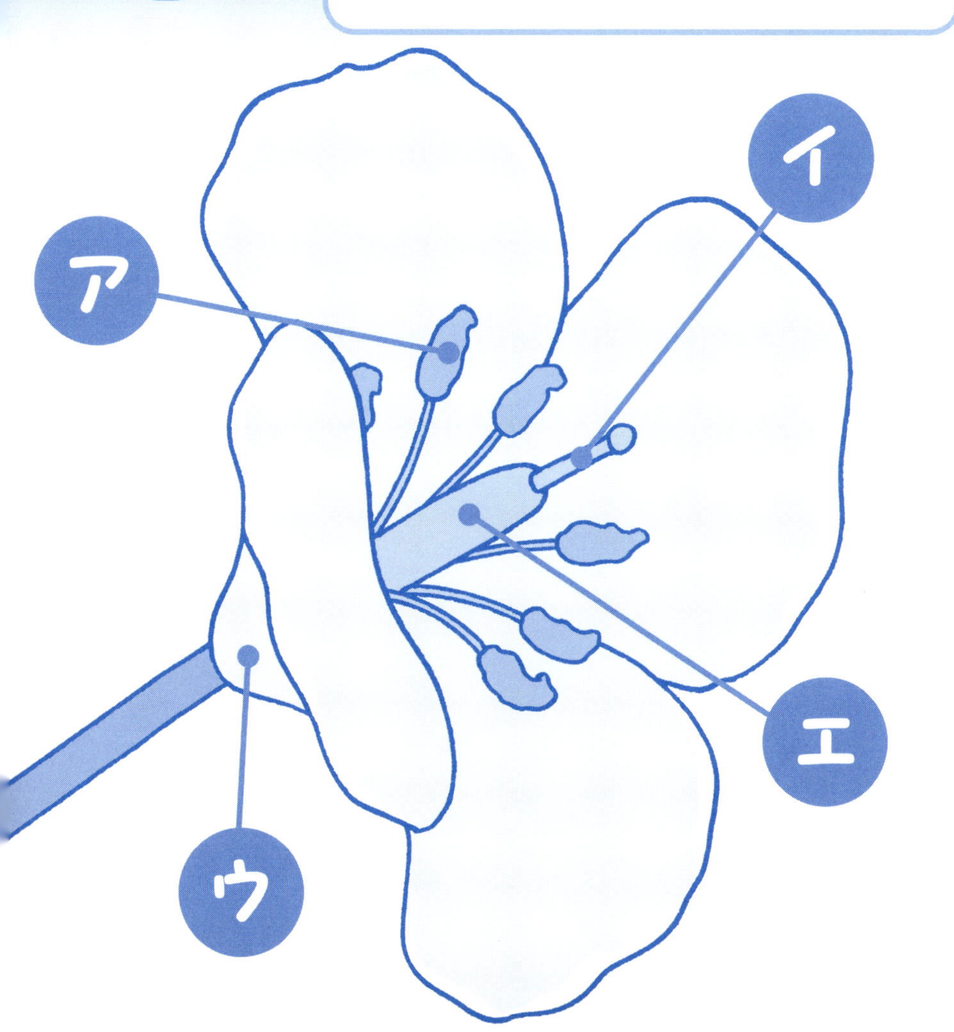

答え18　正解は エ

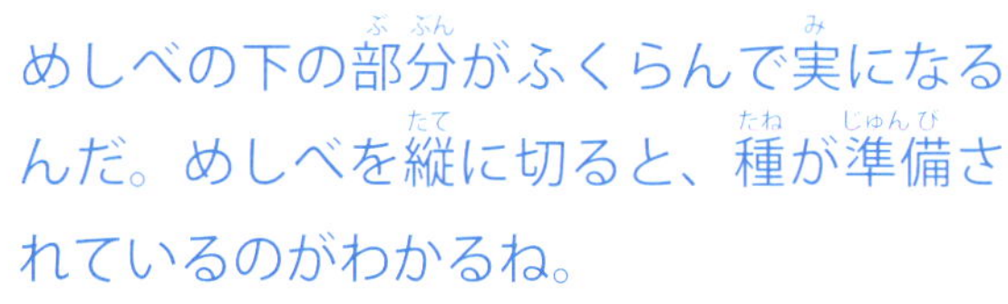

めしべの下の部分がふくらんで実になるんだ。めしべを縦に切ると、種が準備されているのがわかるね。

種をしぼって油をとるから、アブラナという名前がついたよ。
ナノハナというのは、アブラナをはじめ、
キャベツやカブ、ハクサイ、ダイコンなど
のアブラナ科の花全ぱんのことをさすよ。

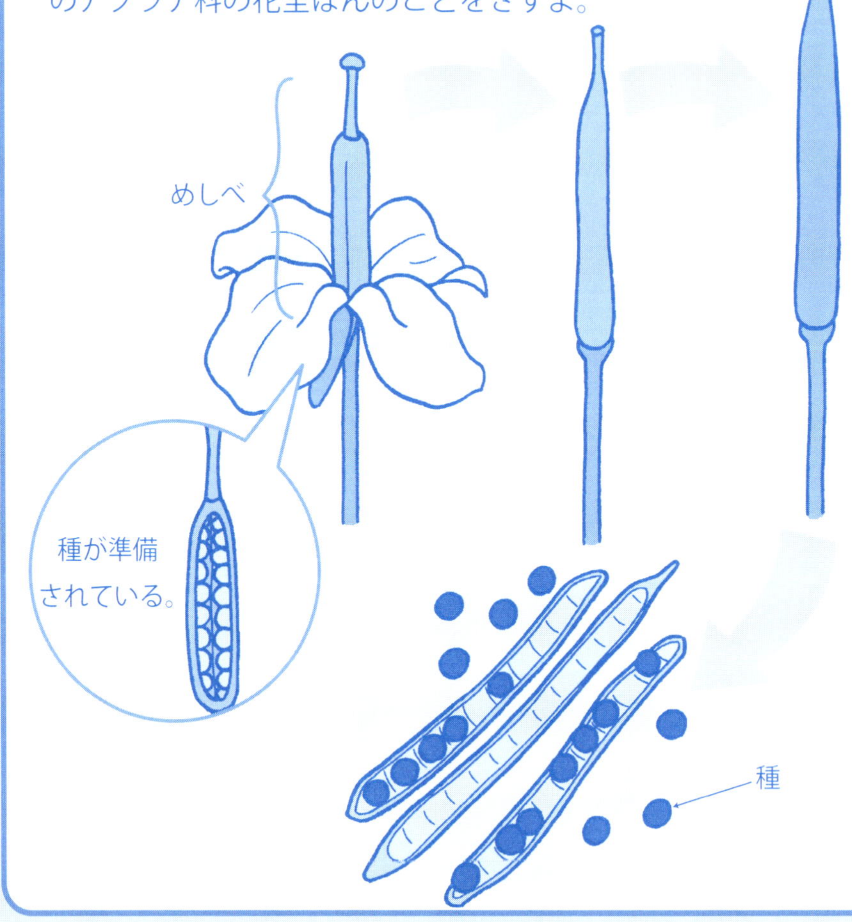

問題19 花びらじゃないのは、どれ？

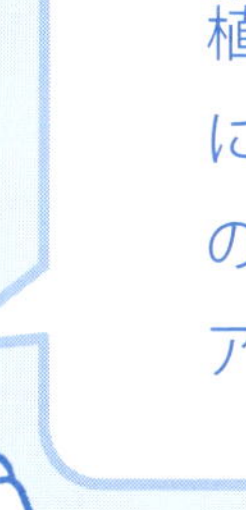

植物(しょくぶつ)の中には、がくが花びらのように見えるものもあるんだよ。下の絵の中にもいくつかあるぞ。
ア〜エのうち、どれかわかるかな？

答え 19 正解は ア ウ

ユリの花びらのように見える部分は、3枚の花びらと3枚のがくでできているよ。アジサイの花びらのように見える部分は、がくなんだ。

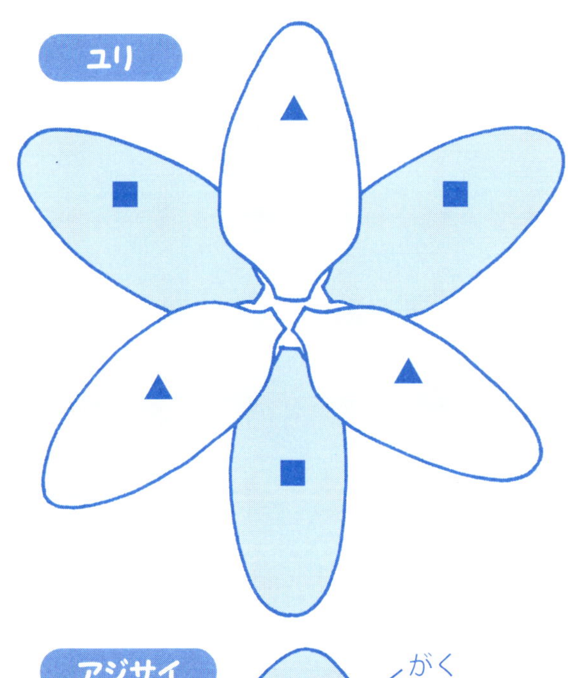

▲…花びら
■…がく
上から見ると、花びらが上、がくが下についている。

アジサイ

がく

おしべやめしべが小さく退化した花

ふだんわたしたちがアジサイの花と思っているのは、がくと退化した花からなる部分なんだ。本当の花は、その下にひっそりと咲いているよ。

問題20 インゲンマメがよく育つのは、どれ？

４つの条件でインゲンマメを育ててみたよ。もっともよく成長したのは、下の４つのうちどれかな？

日当たりのよい場所においた。

日当たりのよい場所において、肥料をあたえた。

おおいをして日光をさえぎった。

おおいをして日光をさえぎり、肥料をあたえた。

答え 20

正解は 

植物が成長するのには、光と水が必要だ。そして肥料を与えると、よりよく成長するよ。

肥料をあたえても、光が当たらないと葉やくきが黄色くなり、成長が悪くなってしまうんだ。

問題21　冬になるとサクラの木は、どうなる？

春にきれいな花を咲かせるサクラ。みんなでお花見をしたりするよね。このサクラの木、冬になるとどうなるかな？

ア　葉が緑色のまま残る。

イ　葉が黄色くなって残る。

ウ　木全体がかれる。

エ　葉がかれて落ちる。

答え 21　正解は エ

サクラの葉は秋になると紅葉し、冬にはすべて落ちてしまうよ。

木にはサクラのように冬に葉が落ちる「落葉樹」、冬でも葉が緑色のままの「常緑樹」、一部だけ葉が落ちる「半落葉樹」があるんだ。

落葉樹

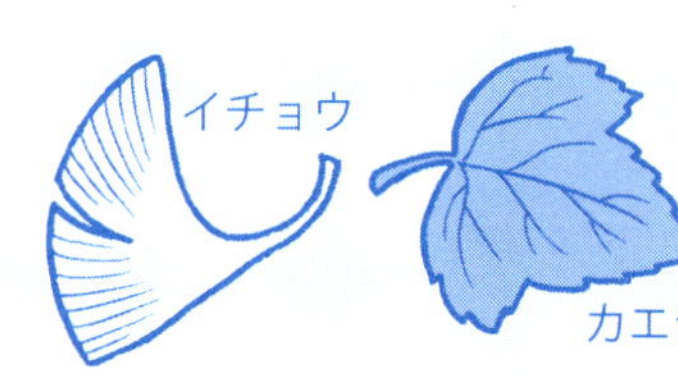

常緑樹

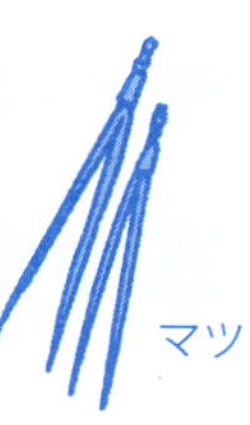

半落葉樹

ナズナのハートの部分は、何？

ナズナのハートの部分、葉にも見えるけど、これは種の入った実なんだ。その形が三味線のばちに似ていることから、ペンペングサとも呼ばれるね。

アブラナと同じアブラナ科だよ。そういえば花や実のつき方がアブラナと似ているね。30ページを開いて、確かめてみよう！

ナズナ

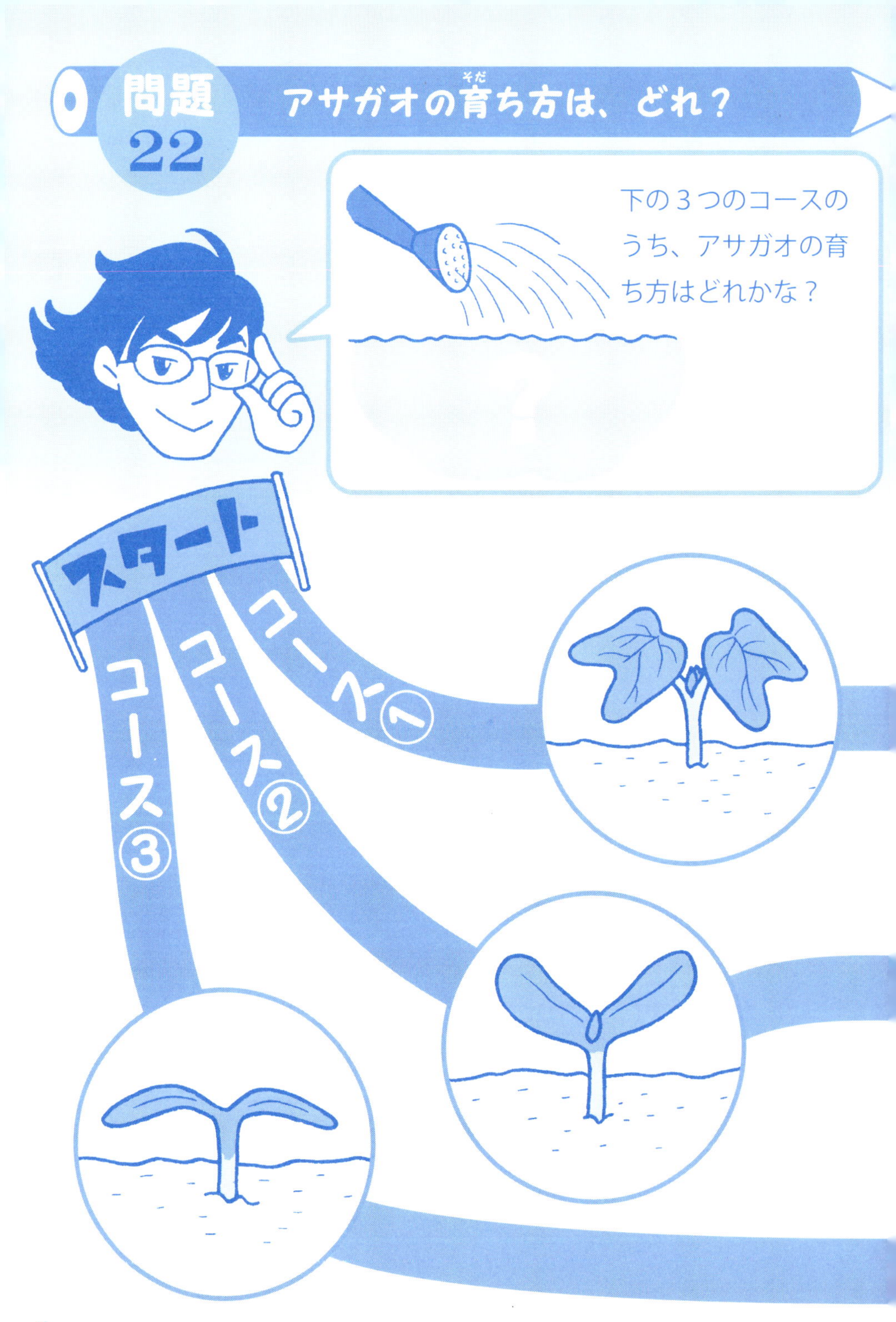
問題22
アサガオの育(そだ)ち方は、どれ？
下の３つのコースのうち、アサガオの育ち方はどれかな？
スタート
コース①
コース②
コース③

答え
22
正解はコース①
コース②はヒマワリ、
コース③はタンポポの
育(そだ)ち方だよ。
ヒマワリ
タンポポ
アサガオ
ゴール

アサガオの
育ち方
つる
つぼみ
花
実
種
子葉
葉
メモ
アサガオの仲間たち
アサガオとよく似ているけれど
夕方咲いて、夜しぼむんだよ。
ヨルガオ
ルコウソウ

問題23 お米作りの正しい順番は？

イネを育ててお米ができるまでをカードにしたよ。ばらばらになった順番を、正しく並べかえよう！

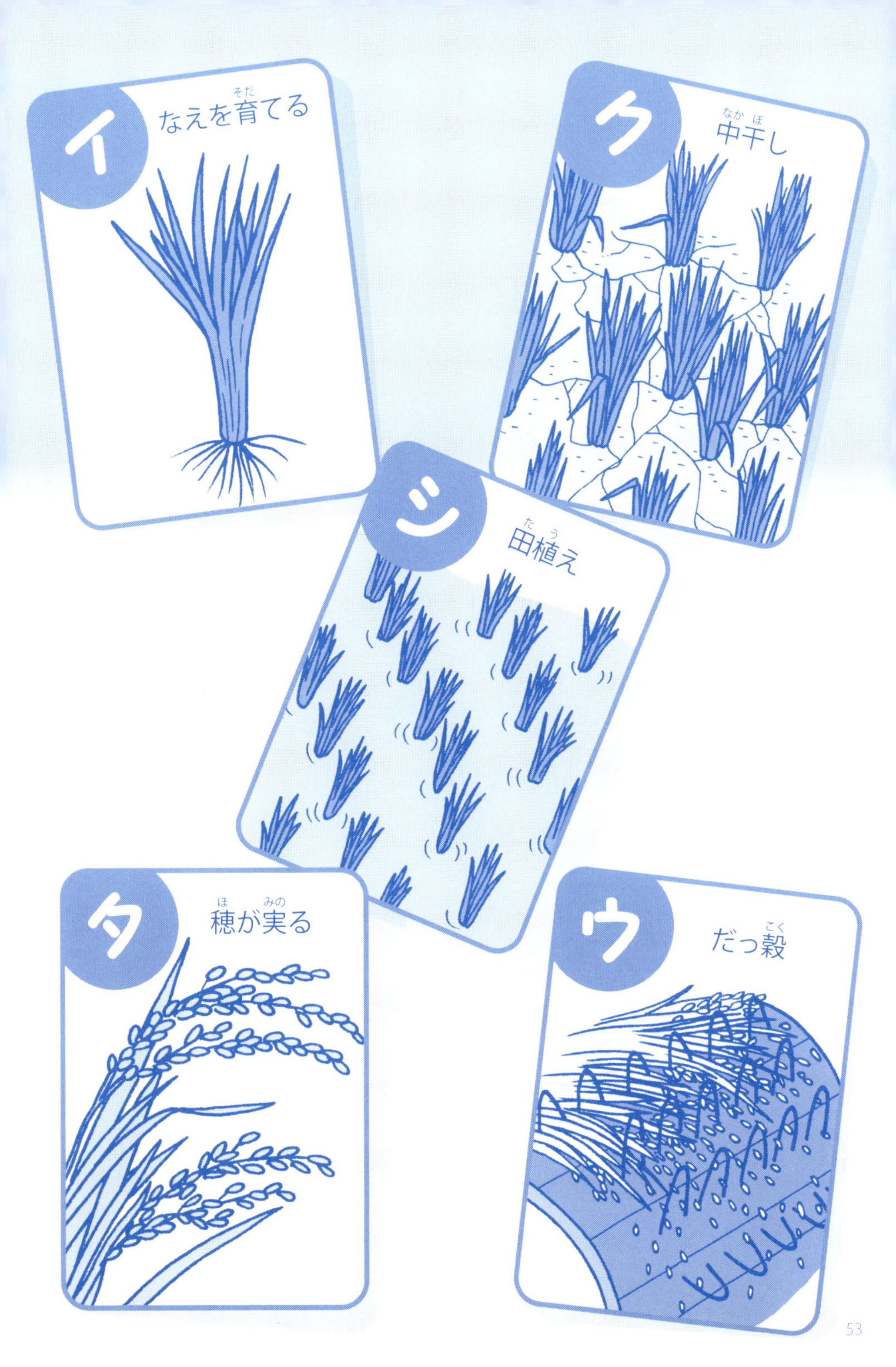
イ
なえを育てる
ク
中干し
シ
田植え
タ
穂が実る
ウ
だっ穀

正解はオイシクタベヨウ

種もみをまく

なえを育てる

田植え

中干し

穂が実る

刈取り

天日干し

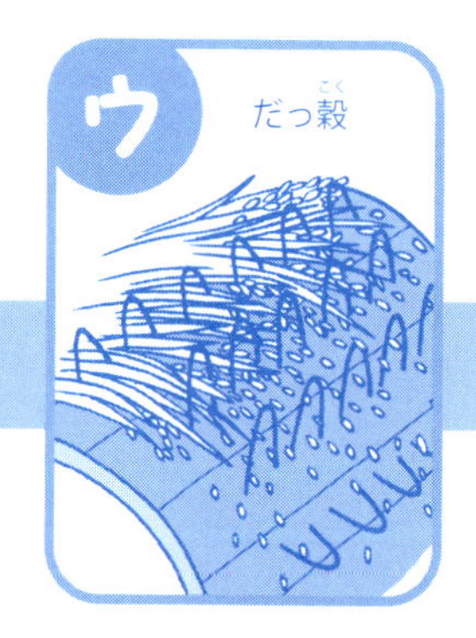

だっ穀

6月～7月ごろ、いったんたんぼの水を抜くことを「中干し」というよ。土の表面がひび割れるくらい干すと、イネが元気になるんだ。

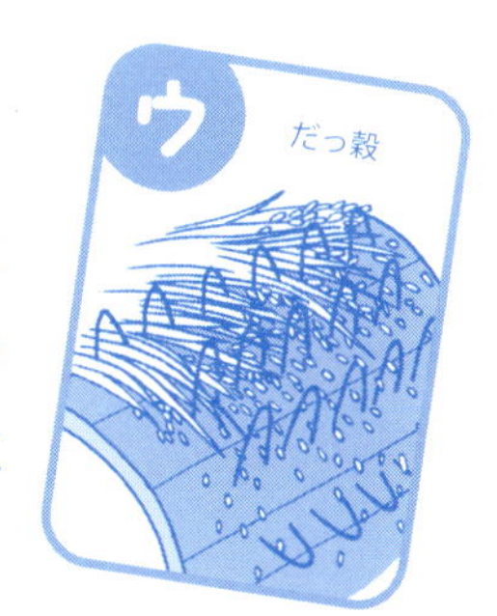

もみのつぶを、イネの穂からとりはずすことを「だっ穀」というよ。今はコンバインという機械で刈取りからだっ穀まで、いっぺんにやってしまうことが多いんだ。

白米ができるまで

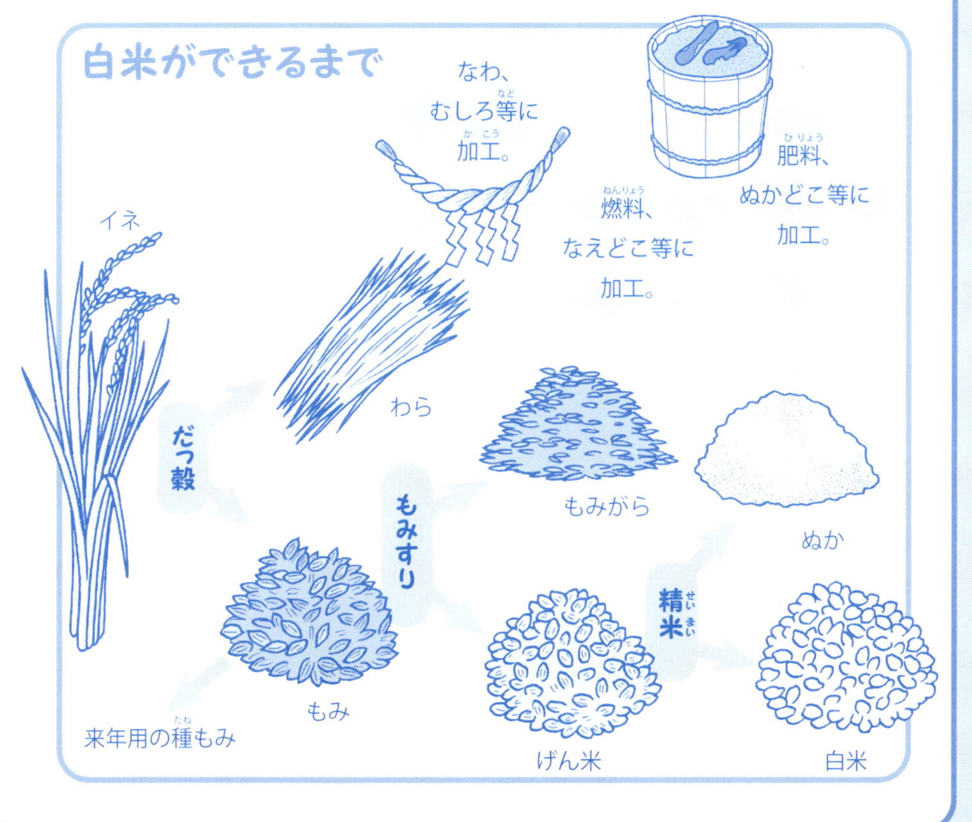

捨てないで、まいてみよう！

ブドウ、スイカ、カキ、ナシ、モモ、カボチャなど、食べ終わったら種をまいてみよう。多くの種は、ほとんどの場合まけば芽が出るんだよ。サツマイモやサトイモなんかも、土に植えると芽を出すんだ。
どんな子葉かな？　どんな花かな？　観察して楽しもう！

問題24 ヒマワリの葉のつき方は、どれ？

下の図は、植物の葉のつき方を表したものだよ。
ヒマワリの葉のつき方に、もっとも近いものはどれかな？

ア
らせん状についている。

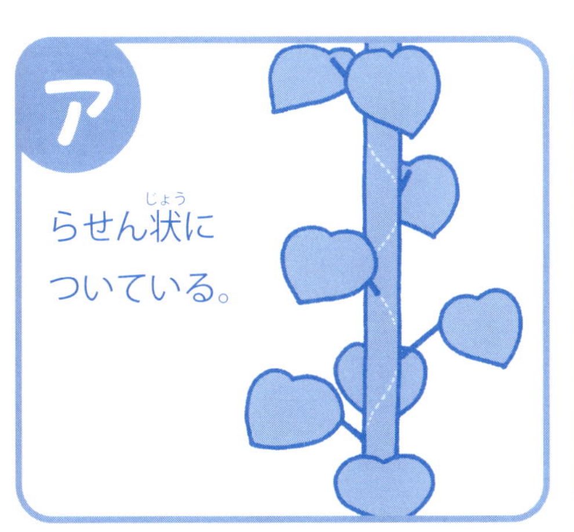

イ
1か所にまとまってついている。

ウ
1枚ずつ段違いについている。

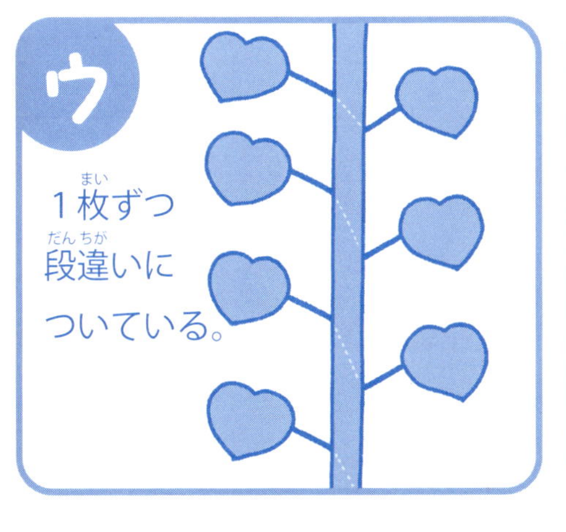

エ
2枚ずつ横に並んでついている。

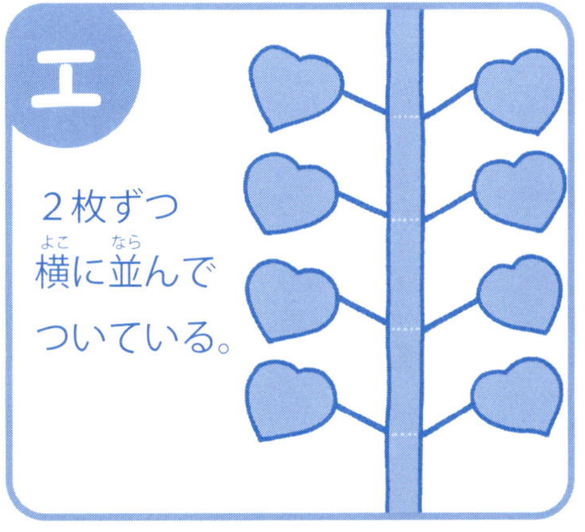

答え 24　正解は ア

ヒマワリの葉は、くきにそってらせんをえがくようについているよ。8枚の葉で、くきをちょうど3周しているんだ。

8枚でくきを3周するのはヒマワリ以外でも、多くのアブラナ科の植物やキンギョソウでも見られるよ。上から見ると、どの葉にも日光が当たるようになっているのがわかるね。らせん状に葉がつく植物以外でも、葉はちょっとずつずれてついていて、まんべんなく日光が当たるようにできているんだ。

上の葉は
下の葉をじゃましない
ようについているんだね。

問題25 タンポポの花のつき方は、どれ？

下の図は、植物の花のつき方を表したものだよ。タンポポはどれに当てはまるかな？

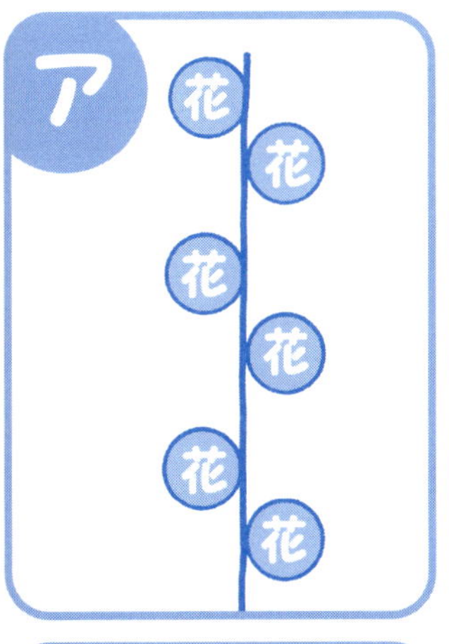

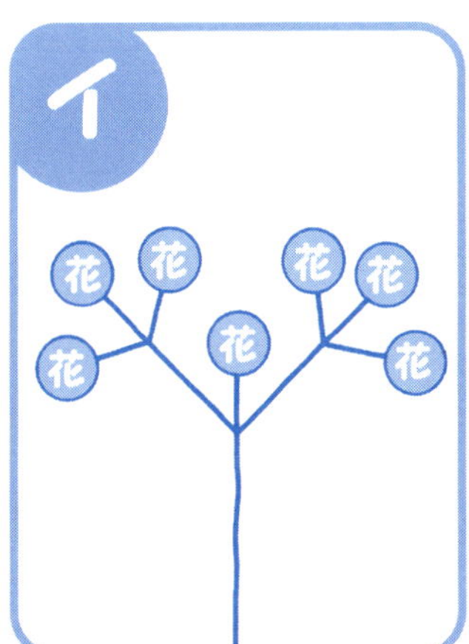

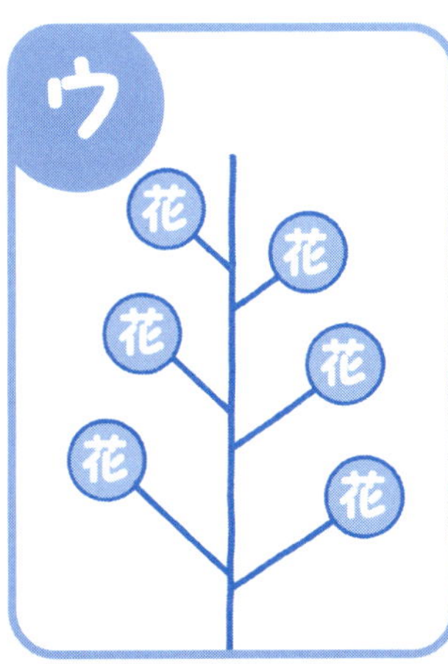

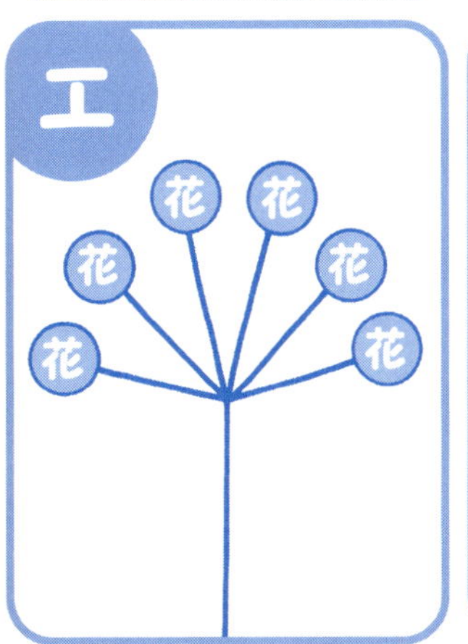

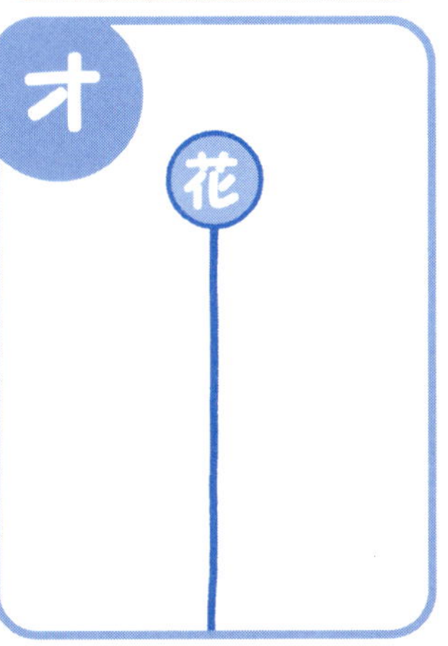

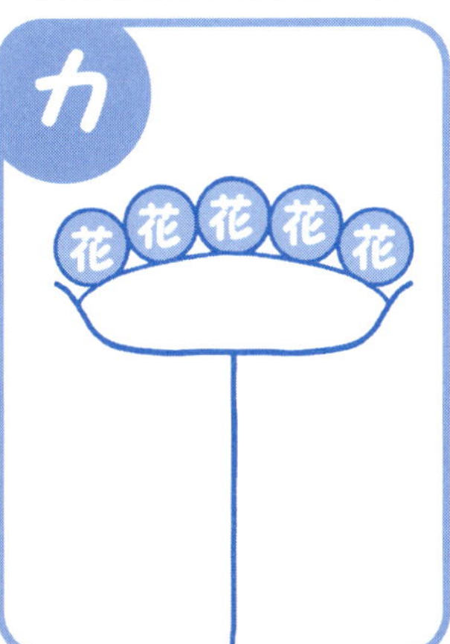

正解は カ

タンポポなどのキク科の植物(しょくぶつ)は、花(か)たくという台の上に小さな花（小花(しょうか)）が集まっているんだよ。

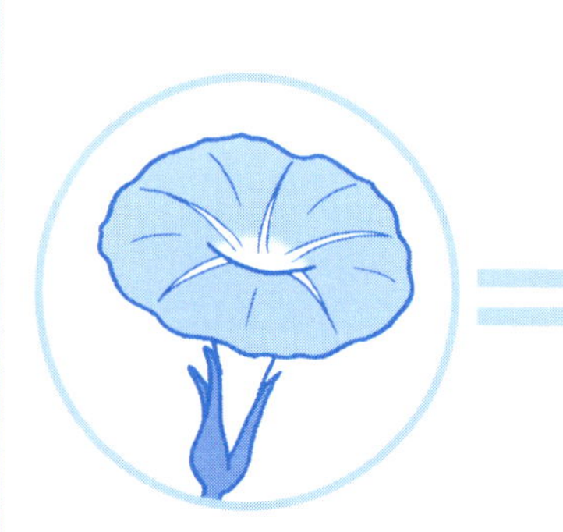

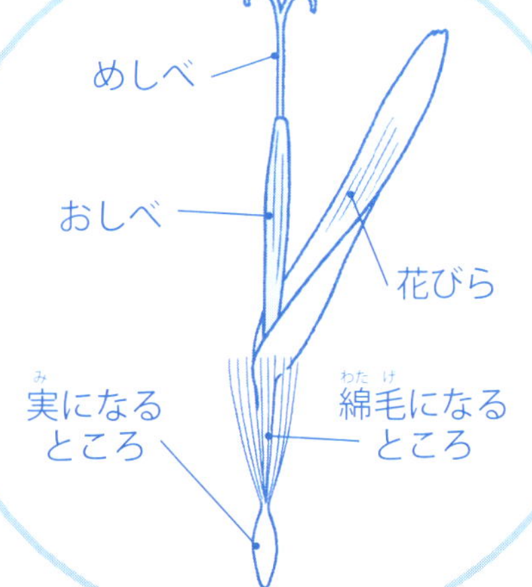

アサガオの花１つと、
タンポポの小花１つは、
同じ役割(やくわり)をするよ。

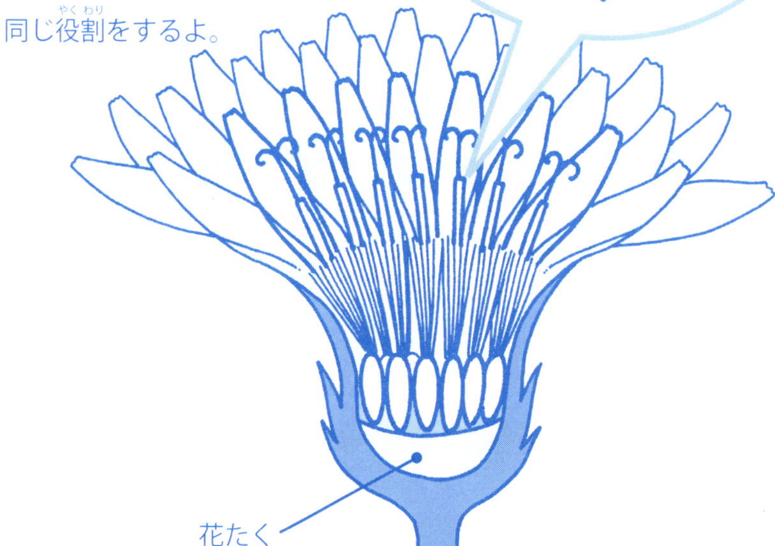

問題 26 ホウセンカにふくろをかぶせると…？

晴れた日、ホウセンカにポリぶくろをかぶせて15分おいておいたよ。ふくろにはどんな変化が見られるかな？

ア ふくらんだりしぼんだりするよ。

イ ふくらんで、破れつしちゃうのかも。

ウ しぼんじゃうんだと思うな。

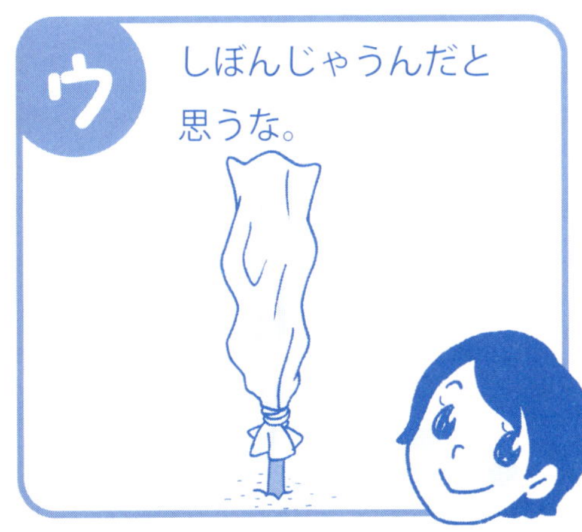

エ 内側に水滴がつくはずだよ。

答え26　正解は㊐

植物は根から吸い上げた水分を、葉から出しているんだよ。水蒸気となって出た水が、ポリぶくろの内側についたんだね。葉の表面には「気こう」というすき間があって、そこから水蒸気を出しているんだ。気こうは、葉の裏側に多くあるよ。

問題27 ラッカセイの実は、どんなふうにできる？

ピーナッツ、南京豆という名前でも呼ばれるラッカセイは、豆の仲間だよ。
さてこのラッカセイ、実はどんなふうにできるのかな？

ア 根の先にできるんじゃないかな。

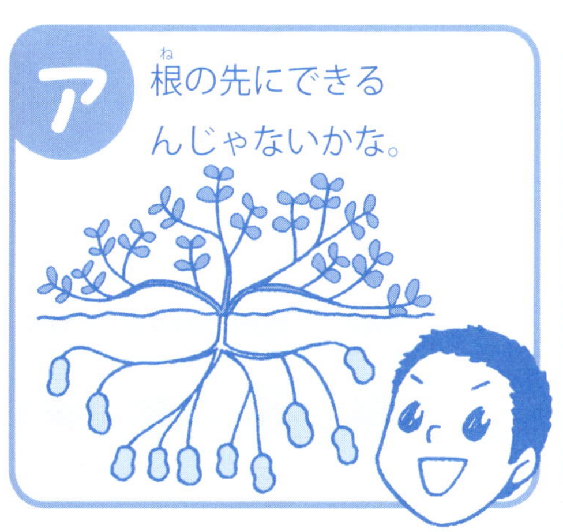

イ くきにぶらさがってできると思う。

ウ くきから土の中にもぐってできるよ。

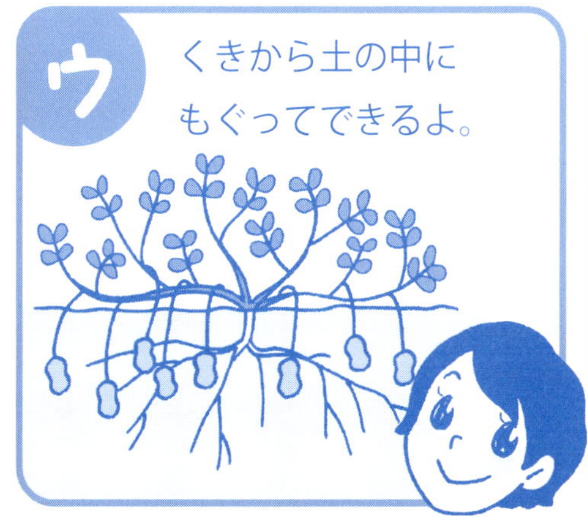

エ ブドウみたいに房になるんだよ。

答え27　正解は ウ

ラッカセイは漢字で書くと「落花生」。花が終わった後に、角のようなものが伸びて、地中にもぐるんだ。その先に実がなるよ。

問題28 カボチャの花にふくろをかぶせると…？

カボチャのめばなが、
まだつぼみのうちに、
ふくろをかぶせたよ。
さて、このあとカボチャ
はどうなるだろう？

ア ふつうに大きな
カボチャができるよ。

イ カボチャはできるけど、
すごく小さいと思う。

ウ 花が咲(さ)いて、終(お)わる
んじゃないかな。

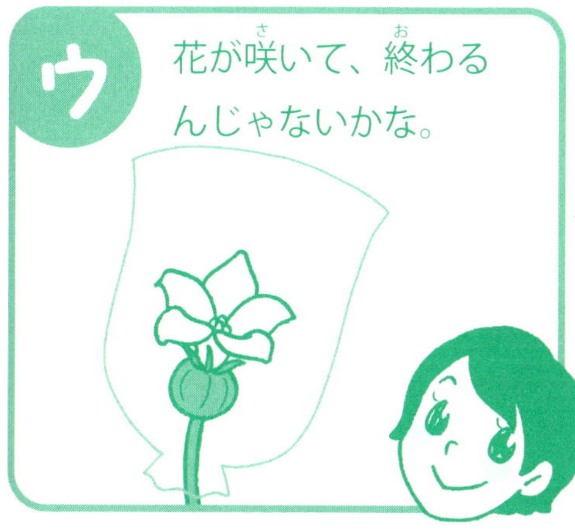

エ つぼみのまま、
終わっちゃうんだ。

答え28 正解は イ

カボチャは、おばなの花粉(かふん)がめばなに受粉(じゅふん)して大きな実(み)がなるんだ。つぼみのうちにふくろをかぶせちゃうと、花粉がつかないから、実は少しだけ大きくなるけど、そのままかれてしまうんだ。

おばなの花粉は、みつを吸(す)いに来た虫たちによって、めばなに運(はこ)ばれるよ。

確実(かくじつ)に受粉させるために人間が筆(ふで)などを使(つか)って、花粉をつけることもあるんだ。

問題29 アサガオに支柱（しちゅう）を立てないと、どうなる？

アサガオを育（そだ）てるとき、
つるをからませるために
必（かなら）ず支柱を立てるよね。
この支柱を立てなかったら、
どうなっちゃうんだろう？

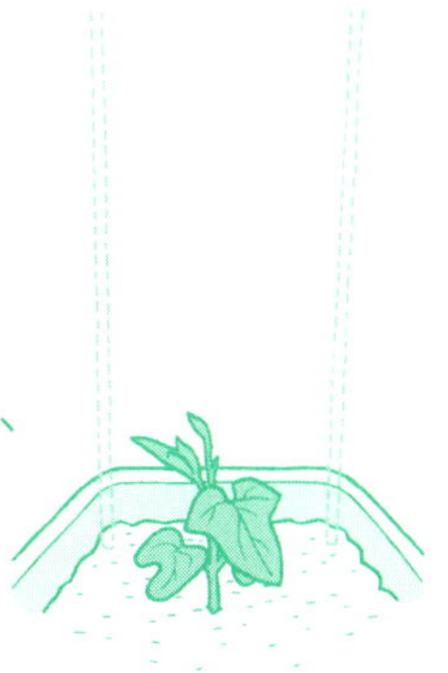

ア

上にまっすぐ伸（の）びて
いくんじゃないかな。

イ

ずっと地面（じめん）を
はって伸びて
いくんだよ。

ウ

近くの物（もの）に
何でも巻（ま）きつい
ちゃうと思うな。

答え 29　正解は ウ

アサガオのつるは、何にでも巻(ま)きついて上へ登(のぼ)ろうとするんだ。

巻きつくものが何もないときは、地面(じめん)をはって伸(の)びていくけれど、やがて先の方からかれてしまうよ。

メモ

葉(は)が４～５枚(まい)ほど出てきたら、つるが巻きつけるように支柱をしっかり立ててあげよう！

問題30 つる植物じゃないのは、どれ？

つる植物の絵を集めてカルタを作ったよ。
ん？１つだけ、つる植物じゃないのが
混ざっているようだ。
どれかな？

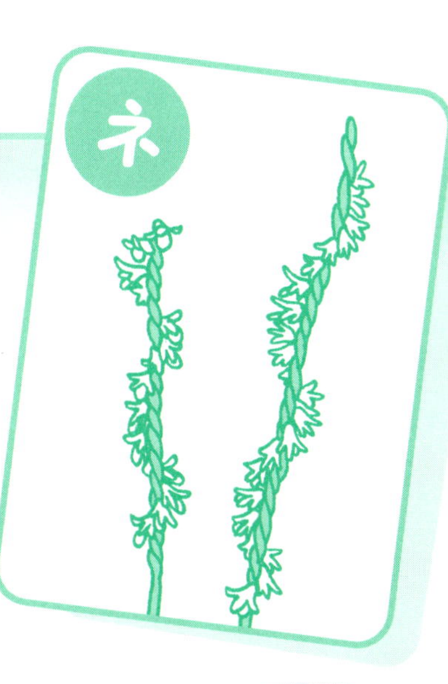

ネジバナは背たけが 10 ～ 20 ㎝
ほどの、野生のランの仲間だ。
つる植物ではないけれど、花を
らせん状に咲かせるよ。

問題31 タンポポに箱をかぶせると…？

答え 31 正解は 花が閉じる

タンポポの花は昼間開いて、夜や天気の悪い日は閉じてしまう。これは、夜の冷えこみや雨から花を守るためといわれているよ。開花から３日くらいは開いたり閉じたりするんだ。箱をかぶせると夜になったとかんちがいして、花が閉じるよ。

問題32 ドングリの小さなあなは、何？

雑木林で拾ったドングリに、小さなあながあいていたぞ。
これは、何だろう？

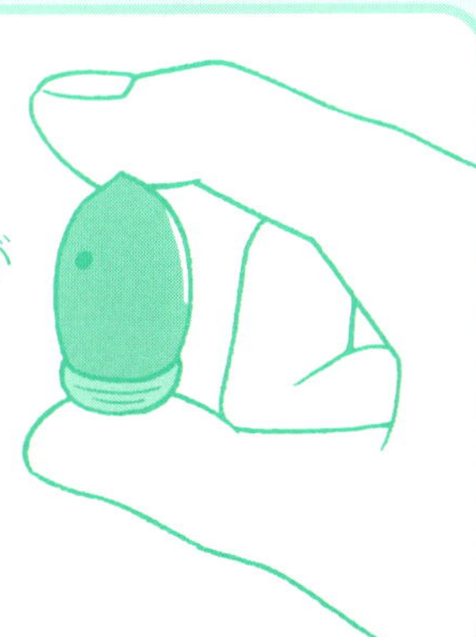

ア 芽が出るあなじゃないかな。

イ だれかが、針であなをあけたんだよ。

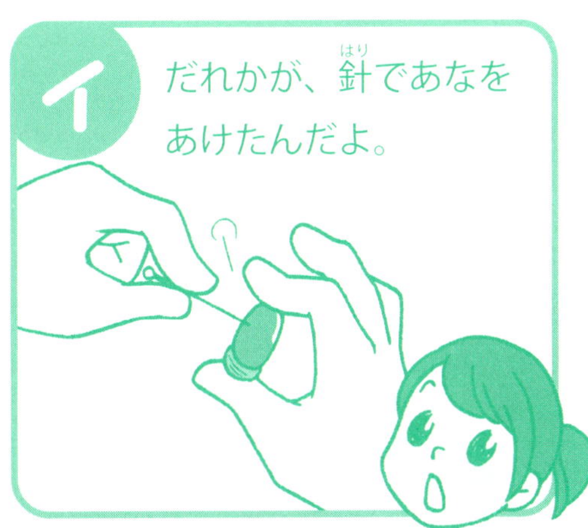

ウ 鳥がくちばしでつついたあとだよ。

エ 虫が卵を産みつけたんだと思う。

答え 32　正解は エ

ドングリの小さなあなは、ゾウムシという虫があけたものだよ。ゾウムシは針のように細長い口を持っていて、ドングリがまだ若くてやわらかいうちにこの口を使ってあなをあけ、卵を産みつけるんだ。

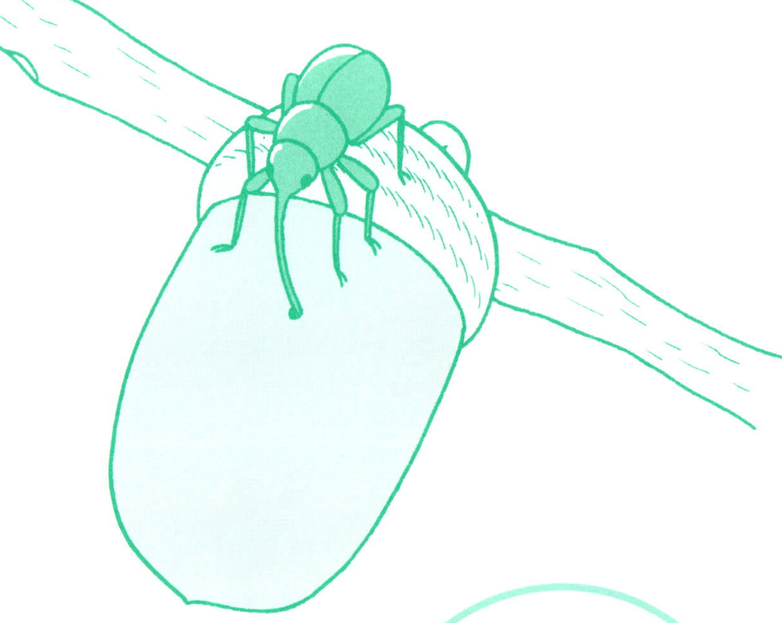

あなのあいたドングリを見つけたら、カッターを使ってそっと縦に割ってみよう。中で幼虫が育っている様子が見られるかもしれない。ゾウムシの幼虫は、ドングリの中身を食べて大きくなるんだ。

問題 33 チューリップに種はある？ない？

チューリップを育てるときは、球根を植えるね。
チューリップの種って、あるのかな？
ないのかな？

ア あると思うな。
花が咲くんだもん、
種だってできるはず。

イ ないと思うよ。
お店で売ってるのは
球根ばかりだもん。

答え33 正解は ア

チューリップにも種（たね）はできるよ。ただし、種を植（う）えてから花が咲（さ）くようになるまで、5年もかかるので、ふつうは球根（きゅうこん）を植えて育（そだ）てるんだ。

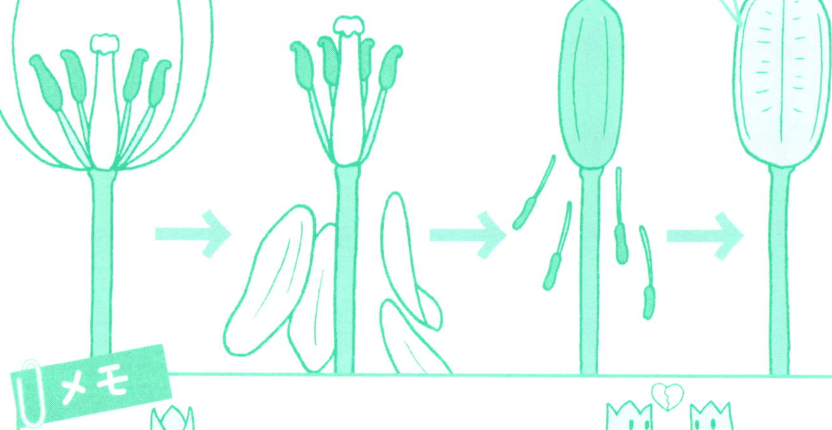

種
花が散（ち）ると、めしべの下の部分（ふぶん）がふくらんで、実（み）になるよ。

メモ

チューリップは花が終（お）わると、元の球根はなくなり、新しい球根ができるんだ。元の球根が同じ花どうしだと、受粉（じゅふん）しないので種はできないよ。

問題34 発芽したインゲンマメは、どれ？

インゲンマメを容器に入れて、発芽させてみよう。
次のうち、発芽したのはどれかな？

ア 空気にふれないよう、水にしずめる。

イ 水をあたえ、箱をかぶせて暗くする。

ウ 水をあたえ、冷蔵庫に入れる。

エ 水をあたえない。

答え34　正解は イ

発芽に必要なのは、空気・水・温かさの３つ。光は発芽には必要ないけれど、植物の成長には重要な役割をはたすよ。

空気
温かさ
水

空気・水・温かさ、どれが欠けても芽は出ないんだ。

ア　空気にふれさせない
苦しいよー

ウ　水をあたえない
カラカラだぁ

エ　冷蔵庫に入れる
寒すぎるよ～

問題35 タンポポの綿ぼうしに水をかけると…？

タンポポは花が終わると綿毛の集まった綿ぼうしができるね。開き始めたタンポポの綿ぼうしに水をかけちゃうぞ。さて、どうなるかな？

ア 開きかけで止まっちゃうよ。

イ そのままふつうに開くんじゃないかな。

ウ 勢いよく開くと思うな。

エ 閉じてしまうんだよ、きっと。

答え35　正解は ㋓

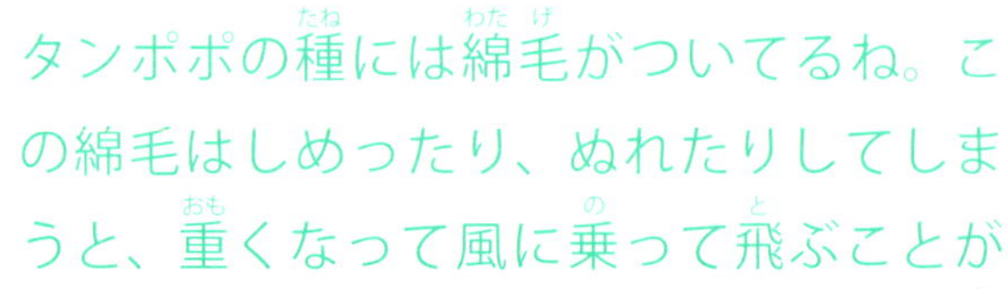

タンポポの種には綿毛がついてるね。この綿毛はしめったり、ぬれたりしてしまうと、重くなって風に乗って飛ぶことができなくなってしまうんだ。だから水をかけると、綿ぼうしを閉じてぬれるのを防ぐよ。

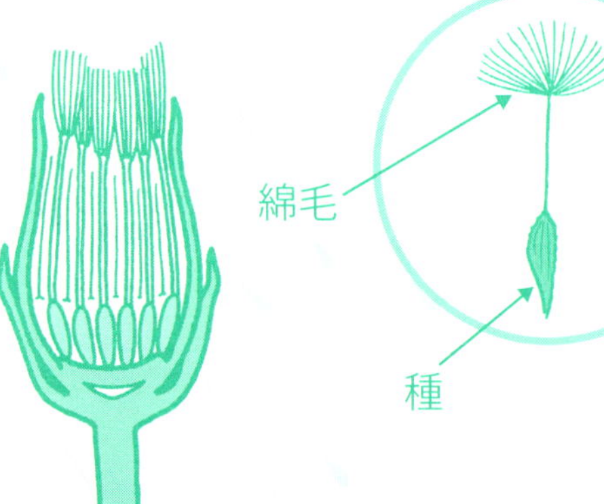

メモ

綿ぼうし1個の種の数は、日本に昔からあるタンポポで100前後、ヨーロッパ原産の西洋タンポポで200ほどだよ。

問題36 アサガオの種を半分にしてまくと、どうなる？

アサガオの種を、下の絵のように
半分に切って植えてみよう。
どうなるかな？

ア まったく芽は出ない
んじゃないかな。

イ 子葉が半分になった
芽が出るよ。

ウ ふつうに芽が
出ると思うな。

エ 芽が２つ
出るんだよ。

答え36 正解はイ

アサガオの種の中では、根になる部分、くきになる部分、子葉になる部分の準備ができているよ。だから種を半分に切っても、葉になる部分が欠けるだけで、芽はちゃんと出るんだ。ただし切った半分のうち、へそがない方は発芽しないよ。

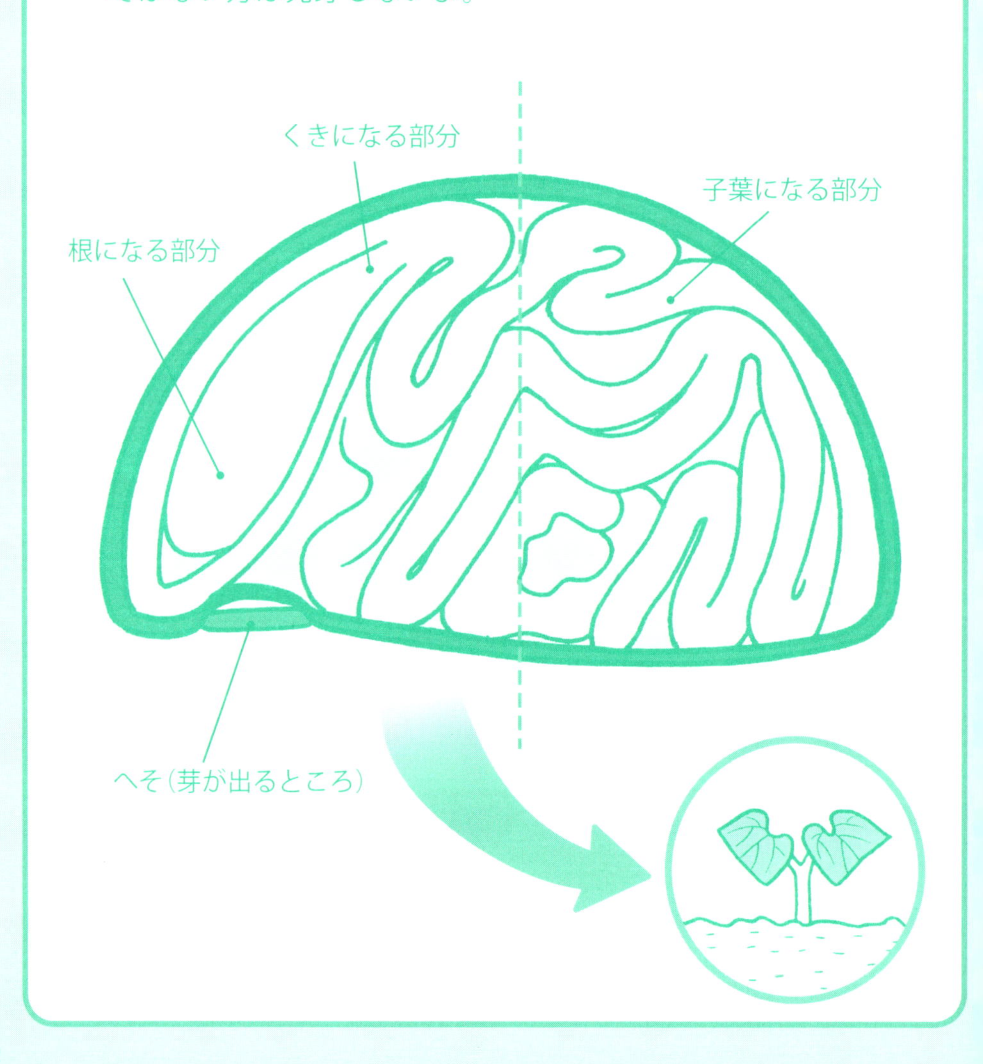

問題37 ヤシの実の中身は、何？

大きくてかたいヤシの実、見たことあるかな？
中には何が入っているのだろう？

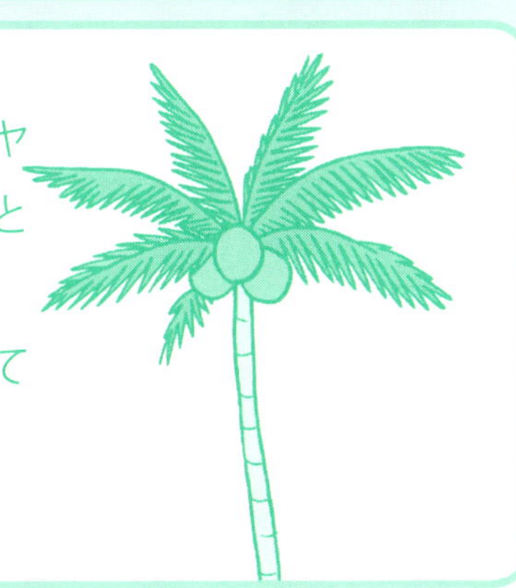

ア 大きな種が１つ入っているんだよ。

イ 子葉が折りたたんで入っていると思うよ。

ウ 小さい種がいくつも入っているはずだよ。

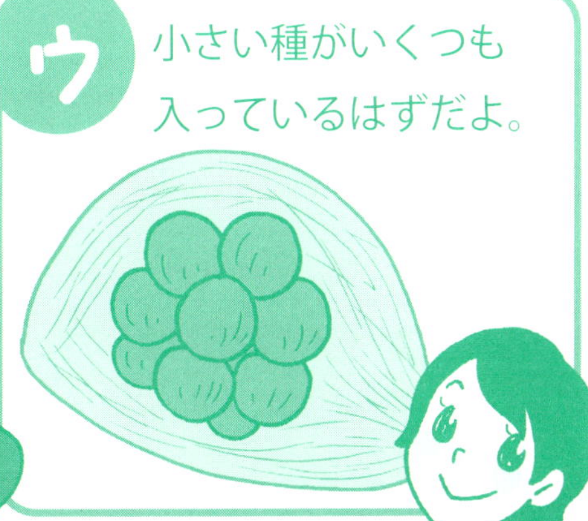

答え 37　正解は ア

ヤシの実の中には、大きな種が１つ入ってるよ。その周りはかたい毛のような「せんい」でおおわれているんだ。このせんいはタワシやロープ、マットの原料になるよ。種の中の白い部分は、油やお菓子の原料に、種のからは食器や工芸品に加工される。捨てるとこなしだね。

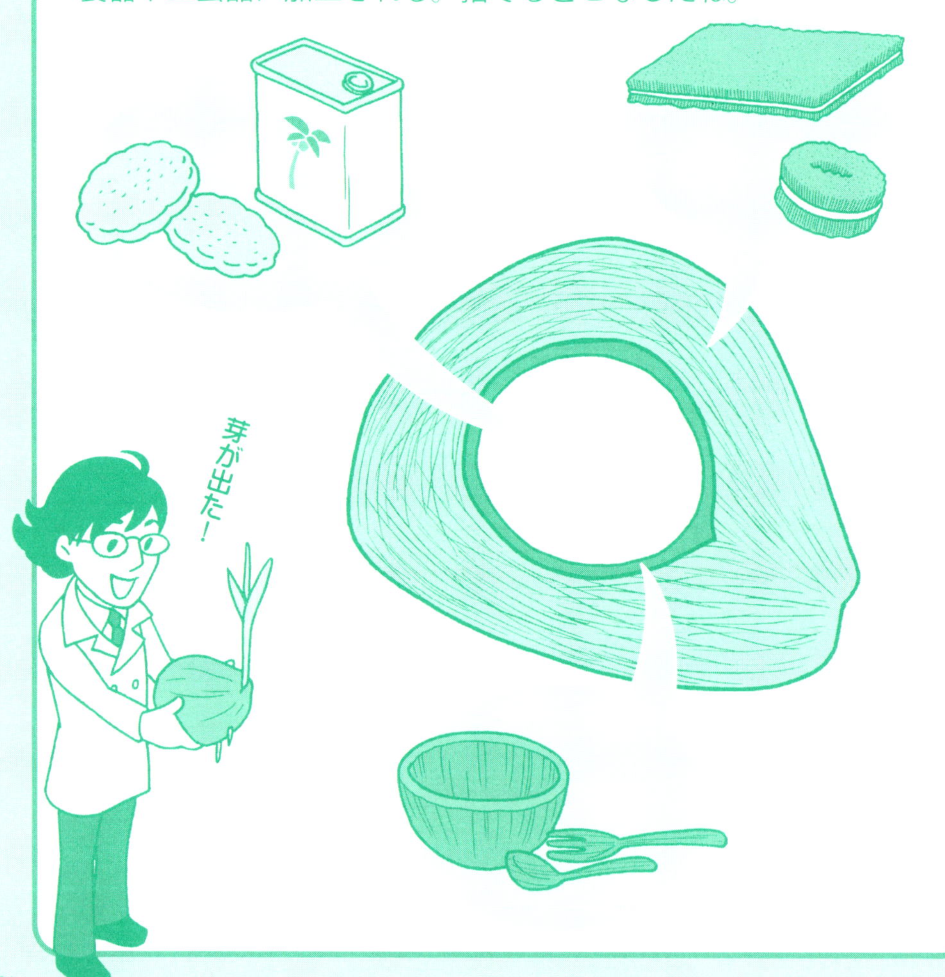

イチゴは果物？野菜？

「イチゴは果物？それとも野菜？」と聞かれたら、多くの人が「果物！」と答えると思う。ところが、イチゴは野菜なんだ。

「草になるものが野菜、木になるものが果物」なんだよ。

だからメロンやスイカも、イチゴと同じ野菜ということになる。

バナナやパイナップルは草になる実だけれど、例外的に果物に入るんだ。

けれども、お店ではメロンもスイカもイチゴも果物売り場に並べられているね。あつかわれる場所によって野菜になったり果物になったりするんだね。

問題38 タンポポの芽が出るのは、どれ？

綿毛は、背たけの低いタンポポができるだけ遠くに種を飛ばす工夫だね。風に乗ったタンポポの種、右の絵の中で、芽が出るのはどれかな？
ア
アリに運ばれる。

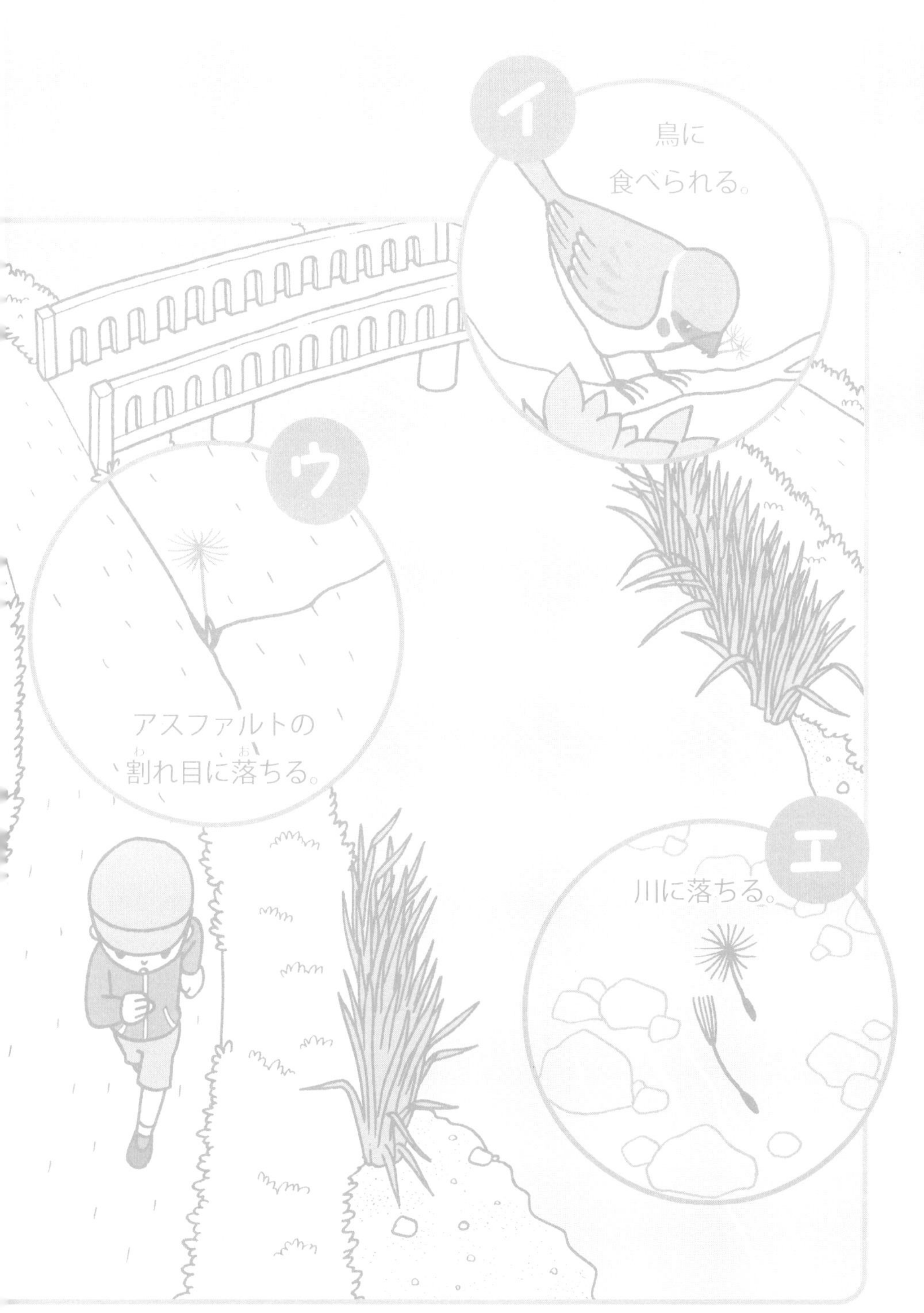
イ
鳥に
食べられる。
ウ
アスファルトの
割(わ)れ目に落(お)ちる。
エ
川に落ちる。

答え 38　正解はウ

種のほとんどは、地面に落ちても鳥や虫に食べられてしまうし、土のない場所に落ちたら発芽できないね。けれども、アスファルトの割れ目などで、根が土に届きさえすれば、地中に根をはって成長することができるんだよ。

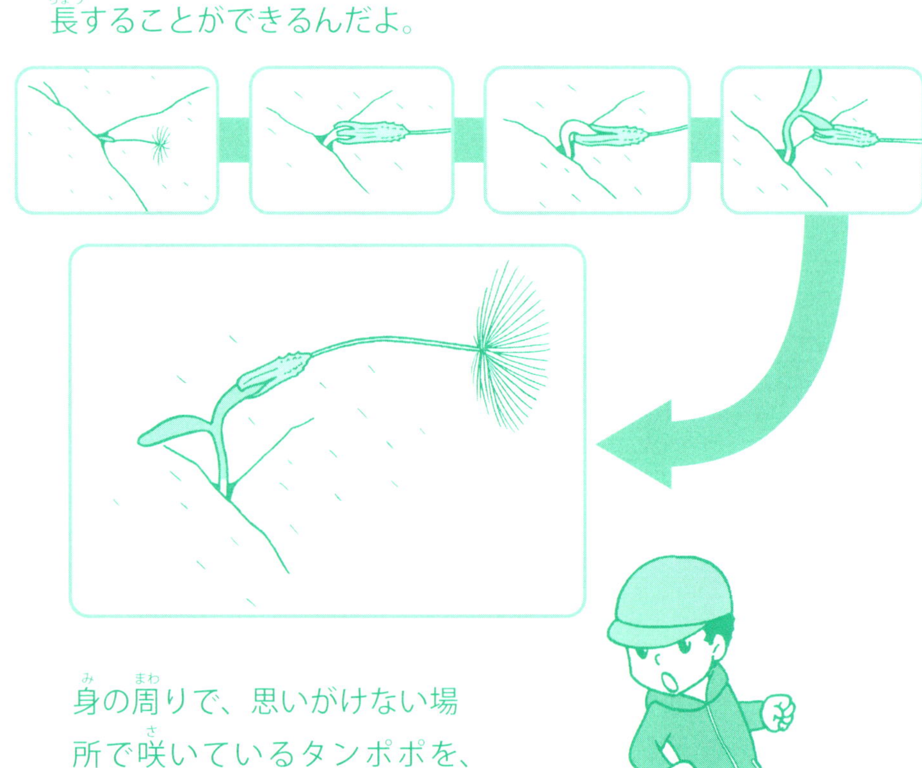

身の周りで、思いがけない場所で咲いているタンポポを、探してみよう！

タンポポは、初夏(しょか)に種(たね)を飛(と)ばし、秋に芽(め)が出て成長(せいちょう)するんだ。寒(さむ)い冬をじっとたえて、春に花を咲(さ)かせるよ。春に芽を出して夏に育(そだ)つアサガオとは逆(ぎゃく)だね。

問題39 薬を使わない雑草対策は、いくつある？

イネを育てるとき、成長のさまたげとなる雑草。薬を使わずに雑草が生えないようにする方法があるよ。
ア～クの中で、実際に行われている雑草対策はいくつあるかな？

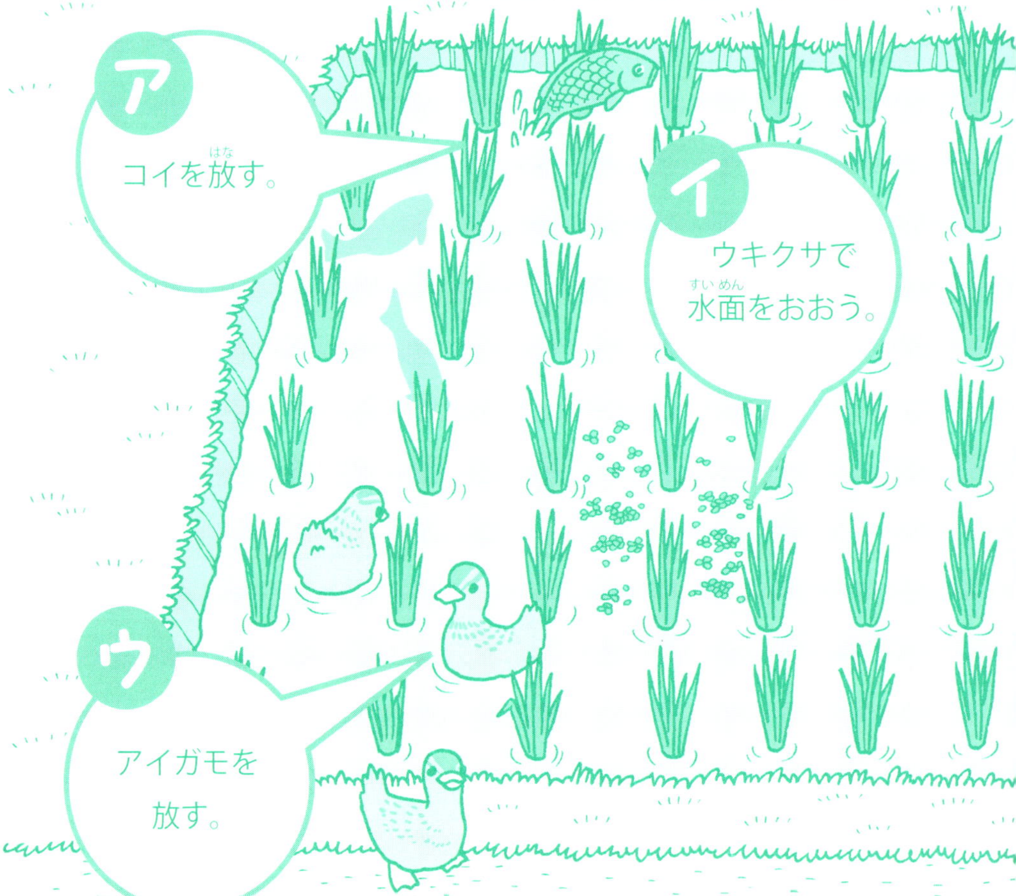

エ
米ぬかやダイズかすをまく。
オ
水を深く入れる。
カ
おおいをして光をさえぎる。
キ
カブトエビを育てる。
ク
雑草よけダンスをおどる。

答え 39　正解は6つ

コイを田んぼの水の中に放すと、発芽したばかりの雑草の芽を食べてくれるよ。コイが泳ぎまわることで、水がにごって雑草が生えにくくなる効果もあるんだ。

ウキクサは水面に浮かぶ草だ。このウキクサが水面をおおうと、光がさえぎられるので雑草が生えてこなくなるよ。

アイガモは、田んぼの中の雑草の芽や害虫を食べてくれるんだ。そのフンは、肥料にもなる。コイと同じように、泳ぎまわることで水をにごして雑草を防いでもくれるよ。

米ぬかやダイズかすをまくと、田んぼの表面から急速に酸素がなくなって、雑草の発芽をおさえられるよ。

田んぼの水を深く入れ、雑草が育つのに必要な空気や光をさえぎる方法だよ。「深水」っていうんだ。イネのくきが太くたくましく育つという利点もある。

カブトエビは、2～4㎝の小さな生き物だ。雑草を食べ、泳ぎまわることで水をにごらせて、雑草を生えにくくしてくれる。「田んぼの草取り虫」とも呼ばれているよ。

薬をまいて
雑草を殺してしまうのは
早くて便利だけれど、
メダカやホタルが生きられなくなったり、
できあがったお米の安全性が
心配されたり…

そこで農家の人たちは、
なるべく薬を使わずにすむ雑草対策を、
いろいろと工夫しているんだね。

さくいん

あ

アイガモ 90,92
アサガオ 5,6,11,17,18,28,48,50,60,67,68,70,81,82,89
アジサイ 41,42
アズキ 34
アブラナ 29,30,39,40,47,58
アベリア 46
アマリリス 26
イチゴ 9,10,85
イチョウ 46
イネ 23,24,55,90,93
インゲンマメ 43,77
ウキクサ 90,92
おしべ 10,28,60
おばな 14,27,28,66

か

害虫 92
カエデ 46
カキ 16,56
がく 10,42
カシ 16
花たく 10,60
果肉 16
果皮 16
カブ 30,40
カブトエビ 91,93
花粉 14,66
カボチャ 27,28,56,65,66
ガマ 32
カラスノエンドウ 70
刈取り 52,54,55
キク 32,60
気こう 62
キャベツ 30,40
球根 26,75,76
キンギョソウ 58
キンシバイ 46
空気 77,78,93
くき 5,14,22,26,34,38,44,58
果物 85
クヌギ 15,16
げん米 23,24,55
コイ 90,92
紅葉 46
コナラ 15,16
ゴマ 34
米 23,52,93
米ぬか 91,92
コンバイン 55
薬 20,90,93

さ

サクラ 41,45,46
雑草 90,91,92,93
サツマイモ 56
サトイモ 56
酸素 92
受粉 14,66,76
ジャガイモ 35,36
常緑樹 46
子葉 51,56,81,82,83
小花 60
スイカ 56,85
スイセン 26
水蒸気 62
水分 62
スギナ 37,38
ススキ 31,32
ゾウムシ 74

た

ダイコン 20,30,40
ダイズ 33,34
ダイズかす 91,92
田植え 53,54
だっ穀 53,54,55
種 6,10,15,16,31,33,34,36,40,47,56,75,76,80,81,82,84,86,89
種イモ 36
種もみ 23,24,52,54,55
タマネギ 25,26
ダンス 91
田んぼ 92,93
タンポポ 31,32,50,59,60,71,72,79,86,88,89
チガヤ 32
チューリップ 26,75,76
ツクシ 37,38
土 55
ツツジ 41
ツバキ 46
つぼみ 8,12,29,30,65,66
つる 17,18,67,68
つる植物 69,70

天日干し 52,54
トウモロコシ 13,14,28
トマト 36
ドングリ 15,16,73,74

な

なえ 53,54,55
中干し 53,54,55
ナシ 56
ナス 20,36
ナズナ 47
ナノハナ 40
ニガウリ 28
ニンジン 20
ぬか 24,55
燃料 55
南京豆 63
根 20,26,62,82,88
ネジバナ 70
ノアザミ 19,31,32

は

葉 20,26,34,44,45,46,47,56,57,58,62,82
パイナップル 85
はい乳 24
ハクサイ 30,40
白米 23,24,55
発芽 23,24,33,34,36,77,78,82,92
花 6,7,8,10,11,16,26,27,28,29,30,36,38,39,42,45,47,59,60,64,70,72,75,76,89
花びら 10,41,42,60
バナナ 85
ハハコグサ 32
半落葉樹 46
ピーナッツ 63
光 33,34,44,91,92,93
ヒマワリ 7,8,19,21,22,31,32,50,57,58
ビヨウヤナギ 46
肥料 44,55,92
深水 93
ブドウ 56
フン 92
ヘチマ 70
ペンペングサ 47
穂 24,53,54,55
ほう子 38
ホウセンカ 19,61
ホタル 93

ま

マツ 46
マリーゴールド 19,20
水 34,44,55,62,77,78,79,91,92,93
実 6,9,10,14,15,16,23,27,28,29,30,36,39,40,47,60,63,64,66,76,83,84,85
芽 34,56,78,82,86,89,92
めしべ 10,14,28,40,60,76
メダカ 93
めばな 14,27,28,65,66
メロン 85
もみ 55
もみがら 24,55
モモ 56
モヤシ 33,34

や

野菜 85
ヤシ 83,84
ヤツデ 46
油点 20
ユリ 26,41,42
ヨルガオ 51

ら

落葉樹 46
ラッカセイ 63,64
ラン 70
リョクトウ 33
ルコウソウ 51

わ

綿毛 31,32,60,79,80,86
わら 55

多田歩実

イラストレーター。本書では文章・デザインも担当。
主な仕事に『ビジュアルガイド明治・大正・昭和のくらし③』(汐文社)
『シゲマツ先生の学問のすすめ』(岩崎書店)、『日本地図めいろランキング』(ほるぷ出版)
『占い大研究』(PHP研究所)、『にほんのあそびの教科書』(土屋書店)など。

参考文献一覧

『イネを育てる　種もみの準備から収穫まで』横田不二子・文（金の星社）
『教科書に出てくる生き物観察図鑑②植物1／花だんの花』『教科書に出てくる生き物観察図鑑③植物2／野草・樹木』
『教科書に出てくる生き物観察図鑑④植物3／こく物・野菜』大場達之・監修（学研）
『NHK子ども科学電話相談スペシャル どうして？なるほど！生きもののなぞ99』(NHK出版)
『小学館の学習百科図鑑①植物の図鑑』太田正次　牧野晩成・編（小学館）
『栽培大図鑑』柳宗民　柳英・著（世界文化社）
『自然の観察事典②タンポポ観察事典』『自然の観察事典㉙ヒマワリ観察事典』小田英智・構成／文（偕成社）
『プチサイエンスしぜんのえほん③あさがお』神田敬二・監修（学研）
『たのしい野菜づくり育てて食べよう①米やトウモロコシ』高橋久光・監修（小峰書店）
『わくわく理科⑤』大隈良典　石浦章一　蒲田正裕ほか・著（啓林館）
『自然観察と生態シリーズ③野の植物』牧野晩成・著（小学館）
『実験はかせの理科の目・科学の芽1　草花をそだてよう』
『実験はかせの理科の目・科学の芽7　植物のつくりを調べる』大竹三郎・著（国土社）
『校外活動ハンドブック④ウォッチング　植物と昆虫』永吉宏英・著（国土社）
『なぜ？どうして？理科のふしぎ学習③アサガオのつるはなぜまきつく』
『校外学習に役立つ　みぢかな飼育と栽培①タンポポ』『校外学習に役立つ　みぢかな飼育と栽培③チューリップ』
『校外学習に役立つ　みぢかな飼育と栽培⑧アサガオ』『校外学習に役立つ　みぢかな飼育と栽培⑫ヒマワリ』
『校外学習に役立つ　みぢかな飼育と栽培⑯ドングリ』七尾純・構成／文（国土社）

このほか、農林水産省ホームページなど多数Webサイトを参考にさせていただきました。

なぜなにはかせの理科クイズ①
植物のしくみ

2014年1月30日　初版第1刷発行
2020年8月20日　初版第2刷発行
著者／多田歩実
発行／株式会社　国土社
〒101-0062 東京都千代田区神田駿河台2-5
Tel 03-6272-6125（営業）Fax 03-6272-6126
https://www.kokudosha.co.jp
印刷／モリモト印刷
製本／難波製本
ISBN978-4-337-21701-0

NDC471　国土社
2014　95P　22×16 cm